도전 수학 100곡

(시즌 1. 중학 수학)

도전 수학 100곡(시즌1. 중학 수학)

발 행 | 2023년 12월 20일

저 자 | 김태익

펴낸이 | 한건희

펴낸곳 | 주식회사 부크크

출판사등록 | 2014.07.15.(제2014-16호)

주 소 | 서울특별시 금천구 가산디지털1로 119 SK트윈타워 A동 305호

전 화 | 1670-8316

저자 이메일 | ick1779@gmail.com

이메일 | info@bookk.co.kr

ISBN | 979-11-410-6094-7

www.bookk.co.kr

도전 수학 100곡

김태익 지음
장광현 도형그림
이경민 캐릭터그림

CONTENT

우선 이 책을 구매해주심에 감사드립니다.

이 책은 '도전 수학 100곡'이라는 제목을 가진 책으로 중학교 수학 전반의 내용을 다루며, 수학 문제를 풀어보면서 수학 개념에 대해 다시금 이해하고 문제해결력을 기르는 데 그 목적이 있습니다. 처음 개념 설명과 관련된 문제를 풀 때에는 문제의 난이도가 상대적으로 쉽다고 생각할 수 있지만, 활용 문제 및 응용 문제를 접할 때에는 문제가 다소 어렵게 느껴질 수도 있습니다. 개인적으로 꼭 시간을 내어 문제를 '스스로' 풀어보시고 모르는 부분이 있거나 추가적으로 수학 개념을 체계화하고 싶다면 유튜브 '도전 수학 100곡'을 검색하셔서 해설 강의를 들어보시길 바랍니다. 교재에 수록된 모든 문제에 대한 개념 설명 및 해설 강의가 유튜브에 게시되어 있습니다.(강의번호 또는 강의 제목을 검색하시면 바로 강의를 시청하실 수 있습니다)

교재에 나와 있는 모든 도형은 같은 학교에 근무하고 있는 장광현 선생님께서 알지오 매스 프로그램을 이용하여 그려주셨고. Memo 페이지에 수록된 '가분수' 캐릭터 그림은 제 아내가 그려주었습니다. 지면을 빌어 두 분께 감사의 말씀을 전하고 싶습니다. 이 책을 출간하면서 교재의 완성도를 높이기 위해 많은 도움을 준 이천 설봉중학교 학생들에게 감사의 마음을 표합니다. 또한, 매주 주말마다 왕복 4시간이 넘게 걸리는 곳까지 가서 해설강의를 촬영하는 동안 옆에서 끊임없이 저를 응원해주고 저와 그 시간을 함께 보내 준 제 아내와, 삶의 원동력이 되어주는 저의 딸아이에게도 고마움을 표합니다.(하윤아~ 2037년에 풀어볼래?^^ 아빠가 도와줄게^^)

2024년 4월 8일

김 태 익

● 2024년 중으로 시즌2(고등학교 1학년 수학) 및 시즌0(초등학교 고학년 수학) 책을 발간 계획 중에 있습니다.

오리엔테이션 및 책의 구성에 대한 설명

　고등학교 수학을 배우기 전에 이 책을 통해 중학교 수학의 전반적인 내용을 이해하고 있는지를 확인하여, 학생 개개인의 수학 학습에 도움이 되었으면 합니다. 첫 시작이니만큼 가벼운 마음으로 오리엔테이션을 듣고 난 후, 자유롭게 문제 풀이에 임하시면 됩니다.

　이 교재 하나로 중학교 수학의 모든 내용을 확인할 수 있도록 문항을 제작하였으며 어려운 문제가 있더라도 포기하지 말고 끝까지 해결해봅시다. 이제부터 시작합니다!^^

<예시>

	ㅇ	ㅋ	ㅣ	ㅅ	ㅠ	ㅂ	조합글자
−2와 2 사이의 수 찾기	$\dfrac{7}{2}$	10	0	$-\dfrac{1}{2}$	$\dfrac{10}{3}$	−4	

	ㅏ	ㄱ	ㅈ	ㄷ	
올바른 거듭제곱 표현 찾기	$2 \times 2 \times 2 = 2^3$	$3 \times 3 = 3^2$	$\dfrac{1}{5 \times 5 \times 5} = \dfrac{1}{5^3}$	$7 \times 7 \times 7 \times 7 = \dfrac{1}{7^4}$	

　글자를 조합하여 가수 및 노래 제목(때로는 노래 제목만 제시될 수도 있습니다)을 맞춰보세요. 해설강의(유튜브 '도전 수학 100곡' 검색)를 통해 중학교 수학 내용을 체계적으로 정리해보아요.^^

<Memo>
문제를 풀기 위한 연습장으로 사용하거나, 해설 강의를 듣고 난 후 개인적으로 수학 내용을 정리할 수 있도록 마련한 공간입니다.

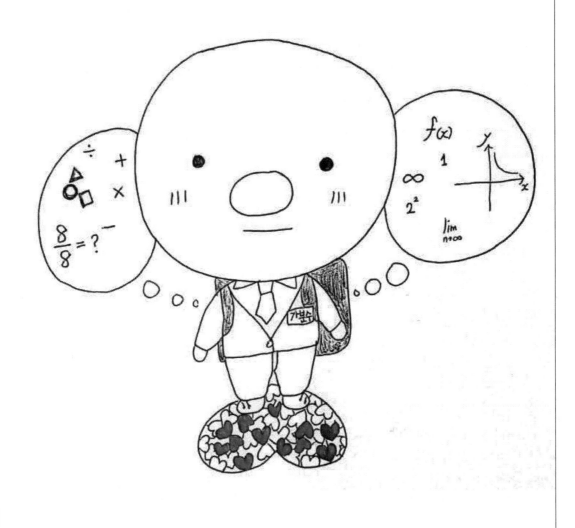

1. 소수/합성수/제곱수/약수의 개수/공약수/소인수분해

소수 찾기	ㅣ	ㅋ	ㄹ	ㅇ	ㅏ	ㅠ	ㅂ	조합글자
	13	9	8	7	24	10	1	

합성수 찾기	ㅣ	ㄴ	ㄹ	ㅇ	ㅓ	ㅠ	ㅂ	
	1	12	11	8	15	17	31	

자연수의 제곱수 찾기	ㄱ	ㅍ	ㅠ	ㅡ	ㅁ	ㅇ	ㅓ	
	90	15	16	20	22	64	99	

약수의 개수가 가장 많은 수	ㅇ	ㅋ	ㅠ	ㄹ	ㅁ	ㅡ	ㅣ	
	15	54	6	16	13	77	24	

180과 210의 공약수 찾기	ㄷ	ㄹ	ㅇ	ㅓ	ㄱ	ㅠ	ㅡ	
	60	15	12	5	30	21	9	

올바른 소인수분해 찾기	ㅣ	ㅇ	ㅏ	ㄴ	
	$30 = 5 \times 6$	$24 = 2^3 \times 3$	$105 = 3 \times 5 \times 7$	$90 = 2 \times 5 \times 9$	

가수와 노래의 제목은?	(힌트)613254

<Memo>

2. 소수/합성수/소인수/서로소/최대공약수/최소공배수

30이하의 자연수 중 소수와 합성수의 개수 각각 구하기	ㅔ	ㅇ	ㄴ	ㆆ	ㅣ	ㅅ	ㅡ	조합글자
	9	10	11	18	19	20	21	
하나의 소수를 곱해 제곱이 되는 수	ㅏ	ㄷ	ㄹ	ㅇ	ㄴ	ㄱ	ㅂ	
	8	10	25	30	18	12	22	
소인수들의 합이 가장 작은 수와 가장 큰 수	ㄱ	ㅍ	ㅠ	ㅡ	ㅅ	ㅇ	ㅓ	
	24	63	25	32	77	20	10	
360의 모든 소인수	ㄱ	ㅋ	ㄴ	ㅏ	ㅁ	ㅡ	ㅣ	
	2	8	3	5	7	10	36	
서로소인 두 수	ㅌ	ㄹ	ㅡ	ㅓ	ㄱ	ㅠ	ㅑ	
	3, 7	10, 22	4, 9	7, 21	2, 6	8, 10	10, 15	
10, 30의 공배수 찾기	ㅣ	ㅗ	ㅠ	ㅇ	ㅈ	ㅏ	ㄴ	
	10	60	320	30	160	90	15	
가수와 노래의 제목은?	(힌트)561324							

<Memo>

3. 공약수/최대공약수/공배수/최소공배수

최대공약수가 가장 큰 수와 가장 작은 수	○		ㅅ		ㅣ		ㅡ	조합글자
	3,10		6, 10		18, 30		15, 36	

4와 6의 공배수	○	ㄴ	ㅊ	ㄷ	ㅐ	ㅜ	
	72	12	20	50	36	54	

두 수 $8A, 12A$의 최소공배수가 120일 때, $A, 8A, 12A$의 값(A는 수)	ㅓ	○	ㅊ	ㄴ	ㅡ	ㅂ	
	40	10	5	60	80	120	

5로 나누면 3이 남고, 7로 나누면 5가 남는 자연수 중 가장 큰 두 자리, 가장 작은 세 자리 자연수	ㅏ	ㄷ	ㅁ	ㅊ	ㅍ	ㅜ	
	68	70	103	72	105	107	

약수의 개수가 6개인 수를 고르면?	○	ㅍ	ㅣ	ㅏ	ㄹ	ㅋ	
	42	10	12	24	98	33	

$1 \times 2 \times 3 \times \cdots \times 10$ 을 소인수분해할 때 각 소수의 지수가 올바른 것은?	ㄷ	ㅣ	○	ㅈ	ㅡ	ㅛ	
	4^4	2^8	3^4	7^2	5^3	3^3	

가수와 노래의 제목은?	(힌트)245136

\<Memo\>

4. 정수와 유리수 1

다음 중, 부호가 같은 두 값을 고르면?	ㅇ	ㄷ	ㅎ	ㅅ	ㅏ	ㅡ	조합글자
	영하 15°	지출 500원	영상 20°	해저 18 m	지상 8층	서쪽 20 m	
다음 중, 가장 큰 수와 가장 작은 수를 고르면?	ㅇ	ㅂ	ㅊ	ㅗ	ㅏ	ㅜ	
	-7	$+\dfrac{27}{2}$	$+13$	-10.5	$+5$	-9	
다음 중, 정수에 해당하는 것을 모두 고르면?	ㅓ	ㅈ	ㅊ	ㄴ	ㅡ	ㅣ	
	$\dfrac{1}{2}$	-8	-7.3	합성수	$-\dfrac{3}{2}$	소수	
정수가 아닌 유리수를 고르면?	ㅏ	ㅇ	ㅂ	ㅣ	ㅍ	ㅜ	
	$-\dfrac{8}{4}$	$\dfrac{21}{4}$	$\dfrac{7}{3}$	$-\dfrac{1}{2}$	12	$\dfrac{6}{3}$	
-3에서 같은 거리에 떨어져 있는 두 수	ㅇ	ㅠ	ㅣ	ㄴ	ㄹ	ㅋ	
	7	10	-10	-16	5	0	
5에서 같은 거리에 떨어져 있는 두 수	ㄷ	ㅅ	ㄹ	ㅈ	ㅡ	ㅛ	
	8	$\dfrac{33}{4}$	$\dfrac{7}{3}$	0	$\dfrac{7}{4}$	$\dfrac{22}{3}$	
다음 중, 가장 큰 수와 가장 작은 수를 고르면?	ㅌ	ㄴ	ㅣ	ㄷ	ㅏ	ㅇ	
	$\dfrac{15}{2}$	$\lvert -5 \rvert$	$\lvert -8 \rvert$	$\lvert 3 \rvert$	$-\dfrac{5}{3}$	$-\lvert -2 \rvert$	
가수와 노래의 제목은?	(힌트)5361427						

<Memo>

5. 정수와 유리수2

계산 결과가 올바른 것을 고르면?	ㄴ	ㅅ	ㅣ	─	조합글자
	$3-8=-5$	$(-2)+7=5$	$10-2=8$	$7-10=3$	

다음 중, 항상 성립하는 법칙을 고르면?	ㄴ	ㅜ	ㅑ	ㅏ	ㄴ
	덧셈의 결합법칙	곱셈의 교환법칙	뺄셈의 결합법칙	뺄셈의 교환법칙	덧셈의 교환법칙

계산 결과가 가장 큰 수와 가장 작은 수를 고르면?	ㅂ	ㅛ	ㅎ	ㅣ
	$1-7-9$	$(-3)\times(-7)$	$4\times(-8)$	$20-2\times 8$

계산 결과가 음수인 것을 고르면?	ㅇ	ㅂ	ㅣ	─	ㅜ
	$(-1)^7$	$(-6)^2$	$2\times(-3)^3$	$\left(-\dfrac{1}{2}\right)^3$	$\left(\dfrac{3}{4}\right)^2$

역수 관계인 두 수와 그 둘의 곱을 고르면?	ㅇ	ㅂ	ㅣ	ㄴ	ㄱ	ㅏ
	7	1	$-\dfrac{1}{7}$	0	$-\dfrac{1}{5}$	-5

역수 관계인 두 수와 그 둘의 합을 고르면?	ㄷ	ㅊ	ㅗ	ㄲ	─	ㅛ
	$\dfrac{1}{7}$	10	$\dfrac{1}{10}$	$\dfrac{101}{10}$	-7	$-\dfrac{48}{7}$

가수와 노래의 제목은?	(힌트)531246

<Memo>

절댓값이 3인 두 수 사이에 있는 수를 모두 고르면?	ㄴ	ㄹ	ㅇ	ㅅ	ㅣ	ㅡ	조합글자
	$\dfrac{5}{3}$	$-\dfrac{7}{4}$	$\dfrac{11}{3}$	$-\dfrac{13}{2}$	$\dfrac{16}{4}$	0	
$ab=1,\ bc=-1$ 일 때, a,b,c의 값으로 가능한 것을 고르면?	ㅇ	ㅣ	ㅜ	ㅋ	ㅏ	ㅡ	
	7	-7	8	$-\dfrac{1}{8}$	0	$\dfrac{1}{7}$	
$ab<0,\ a>b,\ bc>0$일 때, 옳은 것을 고르면?	ㅂ	ㅇ	ㅜ	ㅛ	ㄹ	ㅡ	
	$\dfrac{a}{b}>0$	$b<0$	$ac>0$	$\dfrac{b}{c}<0$	$c<0$	$\dfrac{a}{c}<0$	
정수가 아닌 유리수 중에서 가장 큰 수와 가장 작은 수를 구하면?	ㅇ	ㅎ	ㅂ	ㅏ	ㅡ	ㅜ	
	-3	$\dfrac{21}{8}$	$\dfrac{10}{2}$	$-\dfrac{12}{5}$	$\dfrac{7}{5}$	$-\dfrac{13}{6}$	

다음 중, 정수의 나눗셈이 가능한 경우들을 고르면?	ㅏ	ㅂ	ㅁ	ㅠ
	$7\div3$	$(-7)\div5$	$0\div8$	$9\div0$
계산 결과가 올바른 것을 고르면?	ㄹ	ㅕ	ㅂ	ㅛ
	$7^2\times2=98$	$7+3\times2=13$	$8-2\times3=2$	$5-2\times4=12$

노래의 제목은?	(힌트)541263

\<Memo\>

7. 대입/상수항/계수/일차식

x=3, y=−2일 때, 다음 식의 값이 가장 큰 것과 가장 작은 것을 고르면?	ㄴ	ㅍ	ㅇ	ㅅ	ㅣ	ㅡ	조합글자
	$\dfrac{3}{2}x-y$	$5x+3y$	$3x-2y$	$2x$	$7y$	$\dfrac{7}{3}y$	

일차항의 계수가 양수인 것을 모두 고르면?	ㄴ	ㅇ	ㅣ	ㅑ	ㅏ	ㅌ
	$-x+7$	$\dfrac{2}{3}x+5$	$\dfrac{9}{2}y-8$	$-2y-2$	-10	$3x-1$

일차식인 것을 모두 고르면?	ㅐ	ㅇ	ㅗ	ㅎ	ㅣ
	$7y+9$	$2y^2-1$	x^2-4	$9x-1$	$\dfrac{1}{x}-3$

$3(x+7)$, $2(y-8)$과 같은 식을 고르면?	ㅑ	ㅂ	ㅇ	ㅡ	ㅜ
	$2y-16$	$3x+7$	$3x+21$	$x+21$	$2y-8$

$(9x-15)\div 3$, $(20y-5)\div(-5)$와 같은 식을 고르면?	ㅇ	ㅂ	ㅍ	ㅔ	ㄱ	ㅏ
	$4y+1$	$9x-5$	$3x-5$	$-4y-1$	$4y-1$	$-4y+1$

다음 중 2개의 동류항을 고르면?	ㄷ	ㅣ	ㅗ	ㅈ	ㅡ	ㅎ
	$3x$	$-\dfrac{7}{2}y$	$4x^2$	$8y$	$4y^2$	$\dfrac{3}{x}$

노래의 제목은?	(힌트)512346

<Memo>

8. 일차식/방정식/해(근)/항등식/등식의 성질

2(x-7), 3(-x+2)를 더하거나 뺀 식을 모두 고르면?	ㄹ	ㄷ	ㅇ	ㅣ	ㅡ	조합글자
	$-5x+20$	$5x-12$	$-x-8$	$5x-20$	$-5x-12$	

$\dfrac{1}{2}x-3$, $-\dfrac{2}{3}x+1$을 더하거나 뺀 식을 모두 고르면?	ㄱ	ㅗ	ㅑ	ㅏ	ㅌ	
	$-\dfrac{1}{6}x-2$	$\dfrac{7}{6}x-4$	$\dfrac{1}{6}x-2$	$-\dfrac{7}{6}x+4$	$\dfrac{1}{6}x+2$	

다음 중, 등식인 것을 고르면?	ㅐ	ㅣ	ㅛ	ㅇ	ㄷ	
	$x-2\leq 0$	$x+7=0$	$3y+7\geq 0$	$3+2=5$	$3-y<0$	

다음 중, 일차방정식인 것을 고르면?	ㅑ	ㅡ	ㅇ	ㅣ		
	$x^2=10$	$\dfrac{2}{3}x=8$	$x^2-x=4+x^2$	$4y-1=0$		

일차방정식의 해가 가장 큰 것과 가장 작은 것을 고르면?	ㅜ	ㅔ	ㄱ	ㅌ		
	$3x+12=0$	$\dfrac{1}{4}y=\dfrac{3}{2}$	$-2x+6=0$	$\dfrac{7}{5}y-10=0$		

2x-4와 항등식 관계인 것을 모두 고르면?	ㅜ	ㅂ	ㅡ	ㄴ		
	$2(x-2)$	$-4+2x$	$-2x+4$	x^2+2x-x^2-4		

a=b일 때, 다음 중 항상 성립하는 것을 고르면?(단, $a\neq 0$)	ㅣ	ㅇ	ㅠ	ㄹ		
	$a+c=b+c$	$ac=bc$	$a\div c=b\div c$	$\dfrac{1}{a}=\dfrac{1}{b}$		

일차방정식의 해가 가장 큰 것과 가장 작은 것을 고르면?	ㅇ	ㅌ	ㅜ	ㅑ		
	$\dfrac{5}{2}x-100=0$	$0.3x=15$	$2y+15=0$	$4y-20=0$		

가수와 노래의 제목은?	(힌트)85723641

<Memo>

9. 일차방정식/좌표/사분면/그래프

연속하는 두 짝수의 합이 30일 때, 두 수와 두 수의 곱을 구하면?	ㄹ	ㅊ	ㅜ	ㅇ	ㅣ	ㄴ	조합글자
	18	16	14	168	12	224	
2시와 3시 사이에 시계의 시침과 분침이 같은방향일 때와 반대방향으로 일직선을 이루는 시간(분)은?	ㄱ	ㄷ	ㅗ	ㅑ	ㅔ	ㅌ	
	$\frac{120}{11}$분	$\frac{160}{11}$분	$\frac{240}{11}$분	$\frac{300}{11}$분	$\frac{480}{11}$분	$\frac{600}{11}$분	
정사각형의 둘레의 길이가 40일 때, 이와 둘레가 같은 정삼각형과 정오각형의 한 변의 길이를 구하면?	ㅐ	ㄴ	ㅛ	ㅏ	ㄷ		
	$\frac{40}{7}$	$\frac{40}{3}$	$\frac{20}{3}$	8	5		
다음 중, 축 위에 있는 점을 고르면?	ㅑ	ㅏ	ㅡ	ㅅ	ㅇ	ㅎ	
	$(3,2)$	$(4,0)$	$(-1,5)$	$(0,-3)$	$(5,-1)$	$(3,-7)$	
다음 중, 제2사분면과 제3사분면 위의 점을 고르면?	ㅜ	ㅇ	ㅔ	ㅡ	ㅣ	ㅌ	
	$(2,0)$	$(-1,-3)$	$(3,4)$	$(-5,2)$	$(-1,8)$	$(1,-6)$	
다음 중, 순서쌍의 개념이 실생활에서 사용되는 것을 고르면?	ㅜ	ㅔ	ㅇ	ㄴ			
	출석번호 24	비행기좌석 $23F$	영화관좌석 $G8$	공항코드 ICN			
시간이 갈수록 증가하는 모양의 그래프를 고르면?	ㅣ	ㅇ	ㄱ	ㄹ			
	누적 전기사용량	몸무게	나이	용돈			
노래의 제목은?	(힌트)3541762						

\<Memo\>

10. 일차방정식의 활용

① 일의 자리의 숫자가 7인 두 자리 자연수가 있다. 이 자연수의 십의 자리의 숫자와 일의 자리의 숫자를 바꾼 수는 처음 수보다 9만큼 클 때, 처음 자연수와 바꾼 자연수를 구하면?

② 어느 한 휴대폰 회사의 신제품 개발 주기는 기존의 개발 주기보다 $\frac{2}{3}$배 단축된다고 한다. 처음 나온 제품을 $C1$라 하고. 다음 제품인 $C2$를 개발하기 까지 27개월이 걸렸다고 한다. 이 때 직전제품으로부터 $C3$, $C5$가 출시되기 까지 소요된 기간을 각각 구하면?

③ 한 개에 900원인 아이스크림과 한 개에 600원인 과자를 합하여 모두 12개를 구입하고 10000원을 내었더니 1600원을 거슬러 받았다. 이 때, 구입한 아이스크림의 개수와 과자의 개수를 각각 구하면?

④ 자동차를 타고 $30km$ 떨어진 쇼핑몰을 방문하는데 처음에는 시속 $60km$로 가다가 중간에 차량 정체로 인해 시속 $20km$로 가서 총 50분이 걸렸다. 이 때, 시속 $20km$로 간 거리와 그 때의 소요시간을 구하면?

⑤ 어느 중학교의 작년의 전체 학생은 800명이었다. 올해는 작년에 비하여 남학생 수가 4% 감소하고, 여학생은 24명 증가하여 전체적으로 1% 증가하였다고 한다. 작년의 남학생 수와 올해의 남학생 수를 구하면?

⑥ 아름이와 다운이네 집 사이의 거리는 $2000m$이다. 아름이는 분속 $70m$로, 다운이는 분속 $130m$로 각자의 집에서 상대방의 집을 향하여 동시에 출발하였다. 이 때, 몇 분 후에 두 사람이 처음으로 만나게 되는지를 구하고, 아름이와 다운이가 각각 이동한 거리를 구하여라.

⑦ 10%의 소금물 $400g$과 16%의 소금물을 섞어 14%의 소금물을 만들었다. 이 때, 16% 농도의 소금물의 양을 구하고 14% 농도의 총 소금물의 양을 구하면?

	ㅈ	ㄷ	ㅜ	ㅇ	ㅣ	ㅔ	조합글자
①	67	97	72	79	76	27	
②	ㅓ	ㄷ	ㅁ	ㅑ	ㅔ	ㅌ	
	8	12	18	10	15	21	
③	ㅐ	ㅇ	ㄴ	ㅗ	ㅏ	ㅓ	
	7	4	3	9	5	8	
④	ㅣ	ㅏ	ㅡ	ㄷ	ㅇ	ㅎ	
	30분	25 km	20 km	10 km	20분	25분	
⑤	ㅜ	ㅇ	ㅔ	ㅗ	ㅣ	ㅌ	
	424	400	376	384	450	350	
⑥	ㅜ	ㄴ	ㅇ	ㅁ	ㅣ	ㅑ	
	800 m	700 m	15분	10분	1300 m	1200 m	
⑦	ㅣ	ㅇ	ㄲ	ㄹ	ㅜ	ㅔ	
	500 g	600 g	800 g	1000 g	900 g	1200 g	
가수와 노래의 제목은?	(힌트)1543267						

11. 그래프/대칭성/정비례/반비례

점 $(3,2)$를 x축, y축, 원점에 대해 대칭한 점을 고르면?	ㅅ	ㅜ	ㅇ	ㅣ	ㄴ	조합글자
	$(3,-2)$	$(2,-3)$	$(-3,2)$	$(-3,-2)$	$(2,3)$	

두 순서쌍 $(a-1, 2b+1)$과 $(1-2a, b-4)$가 서로 원점대칭일 때, a와 b를 구하면?	ㄱ	ㅏ	ㅗ	ㅑ	ㄹ	ㅌ
	$a=-2$	$a=0$	$a=2$	$b=0$	$b=1$	$b=-2$

세 점 $(1,1)$, $(1,-3)$, $(a,-2)$으로 이루어진 삼각형의 넓이가 6일 때, a의 값을 구하면?	ㅇ	ㅏ	ㄴ	ㅛ	ㅓ	ㄷ
	$a=4$	$a-1$	$a=0$	$a=2$	$a=-2$	$a=3$

다음 중, 정비례 관계의 그래프를 고르면?	ㅅ	ㅡ	ㅗ	ㅇ	ㅎ
	$y=2x$	$y=\dfrac{3}{x}$	$y=-x$	$y+\dfrac{2}{3}x=0$	$xy=6$

다음 중, 정비례 관계 그래프의 특징을 고르면?	ㅣ	ㅌ	ㅇ	ㅏ
	원점을 지난다	xy값이 일정하다	직선 모양이다	곡선 모양이다

다음 중, 반비례 관계의 그래프를 고르면?	ㅣ	ㅓ	ㅌ	ㄹ
	$y=x$	$xy=-5$	$y=\dfrac{24}{x}$	$y=\dfrac{3}{2}x+2$

노래의 제목은?	(힌트)134256

<Memo>

12. 사분면/정비례/반비례

문제	ㅓ	ㄷ	ㅣ	ㄴ	조합글자
일정 금액이 충전된 교통카드를 하루에 2천원씩 x일 쓰고 남은 돈(y원)으로 알맞은 상황은?	정비례 관계가 아니다	반비례 관계가 아니다	정비례 관계이다	반비례 관계이다	
	ㅊ	ㅇ	ㅑ	ㄹ	ㅏ
x의 값이 증가하면 y의 값도 증가하는 상태의 그래프를 고르면?	$y=-\dfrac{2}{3}x$	$y=-x$	$xy=7$	$y=2x$	$y=-\dfrac{1}{x}$
	ㅅ	ㅇ	ㄷ	ㅏ	ㅐ
다음 중, 원점을 지나는 직선을 고르면?	$y+2x=0$	$y=3x$	$y=x-1$	$y=-4x$	$xy=12$
	ㅂ	ㅡ	ㅗ	ㅁ	ㅜ
점 $(2a,-3b)$가 제3사분면 위의 점일 때, 제1사분면 위의 점을 고르면?	$(-a,b)$	(a,b)	$(a,-b)$	$(b-a,b)$	$(2b,-a)$
	ㅣ	ㅏ	ㅎ	ㅈ	
$y=-3x$에 대한 설명으로 옳은 것을 고르면?	$(2,6)$을 지난다	원점을 지난다	$(2,-6)$을 지난다	xy값이 일정하다	
	ㄱ	ㅍ	ㅣ	ㅏ	
$y=\dfrac{3}{x}$에 대한 설명으로 옳은 것을 고르면?	$(-1,-3)$을 지난다	직선 모양이다	xy값이 일정하다	원점을 지난다	
	ㅅ	ㅏ	ㅇ	ㄹ	
$xy=a\,(a\neq0)$의 그래프에 대해 옳은 것을 고르면?	반비례 관계이다	매끄러운 곡선이다	xy값이 일정하다	$|a|$값이 클수록 원점에서 가깝다	
가수와 노래의 제목은?	(힌트)2437156				

<Memo>

13. 기본도형

다음 중, 사각형의 변의 개수와 직육면체의 모서리의 개수를 각각 구하면?	ㅓ	ㅑ	ㄷ	ㅌ	ㅏ	ㅅ	조합글자
	6	5	8	9	4	12	

다음 중 90도와 관련된 표현을 모두 고르면?	ㅎ	ㅇ	ㅑ	ㄴ	ㅏ	
	수직 이등분선	평행	맞꼭지각	직교	수선의 발	

다음 중, 길이가 같은 것을 고르면?	ㅅ	ㄷ	ㅣ	ㅠ	ㅏ	ㅇ
	$\overline{AB}$	$\overrightarrow{BA}$	$\overline{BA}$	$\overrightarrow{AB}$	$\overleftrightarrow{AB}$	$\overleftrightarrow{BA}$

다음 중, 각도가 90도 이상인 것을 고르면?	ㅏ	ㄹ	ㅁ	ㅇ
	둔각	직각	예각	평각

다음 중, 기호와 설명을 알맞게 짝지으면?	ㅣ	ㄹ	ㅏ	ㅜ	ㄷ	ㅈ
	≡	닮음	//	⊤	평행	직교

두 직선이 한 점에서 만날 때, 항상 같은 크기의 각인 것을 고르면?	ㄱ	ㄷ	ㅣ	ㅏ
	엇각	맞꼭지각	동위각	수직으로 만나는 두 각

한 평면 위에서 두 직선의 위치관계를 모두 고르면?	ㄴ	ㅁ	ㅕ	ㄹ
	일치한다	평행하다	한 점에서 만난다	꼬인위치에 있다

노래의 제목은?	(힌트)5314267

<Memo>

14. 작도와 합동1

14. 작도와 합동1

다음 중, 작도를 하기 위해 필요한 도구를 고르면?	ㅓ	ㄹ	ㅔ	ㅇ	조합글자
	각도기	눈금 있는 자	컴퍼스	눈금 없는 자	

작도를 통해 하나의 삼각형을 결정지을 수 있는 합동조건을 모두 고르면? (S: 변, A: 각)	ㅊ	ㅋ	ㅇ	ㅐ	ㄴ	ㅏ
	AAS	SSS	SSA	SAS	ASA	AAA

$\triangle ABC \equiv \triangle DEF$ 라 할 때, $\overline{AC}$와 $\angle CAB$에 대응하는 변과 각을 찾으면?	ㅌ	ㅇ	ㅣ	ㅏ	ㅐ
	$\overline{FD}$	$\angle DEF$	$\angle FDE$	$\overline{ED}$	$\angle FED$

$\overline{AB}$가 주어질 때, $\triangle ABC$에서 합동조건을 적용하기 위해 필요한 조건을 고르면?	ㅣ	ㅊ	ㅁ	ㄷ	ㅜ
	$\angle B, \overline{BC}$	$\angle A, \angle B$	$\angle C, \overline{AC}$	$\angle C$	$\overline{BC}$

다음 중, 두 변의 길이가 같은 삼각형을 고르면?	ㅣ	ㅏ	ㅎ	ㅇ
	이등변 삼각형	예각 삼각형	둔각 삼각형	정삼각형

합동인 두 도형에 대해 항상 같은 것을 고르면?	ㄷ	ㅍ	ㅣ	ㅏ
	대응변과 대응각	이웃하는 두 변의 길이	넓이	이웃하는 두 각의 크기

육각형의 대각선의 개수와 구각형의 대각선의 개수를 각각 구하면?	ㅗ	ㅠ	ㅏ	ㄷ	ㅇ	ㄹ
	9	10	20	12	27	35

가수와 노래의 제목은?	(힌트)1547326

<Memo>

15. 각의 크기 구하기/합동조건

① $l /\!/ m$ 일 때, x, y값 구하기

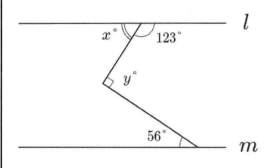

② $l /\!/ m$ 일 때, x, y값 구하기

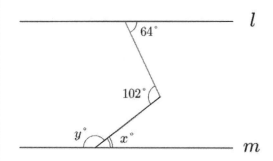

③ $l /\!/ m /\!/ n$ 일 때, x, y값 구하기

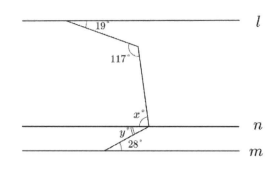

④ $l /\!/ m /\!/ n /\!/ o$ 일 때, x, y, z값 구하기

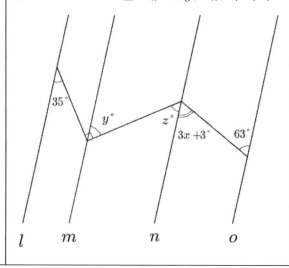

⑤ $\triangle ABC$, $\triangle DBC$의 합동조건을 찾고 옳은 내용을 고르면?

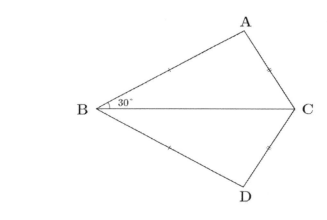

	ㅣ	ㅊ	ㄹ	ㅋ	ㅐ	ㅇ	조합글자
①	57	67	47	113	103	123	
	ㅊ	ㅋ	ㅇ	ㅒ	ㅣ	ㅏ	
②	45	48	38	132	142	124	
	ㅂ	ㅡ	ㅇ	ㅣ	ㅏ	ㅒ	
③	28	82	98	32	88	29	
	ㅇ	ㅠ	ㅊ	ㅁ	ㅏ	ㅜ	
④	20	18	21	45	55	60	
	ㅊ		ㅏ		ㅣ		ㅇ
⑤	$\angle CBD = 30°$		$\angle BCD = 30°$		SSS 합동		ASA 합동
가수와 노래의 제목은?	(힌트)42315						

① 직사각형 $ABCD$에 대해 x, y값 구하기

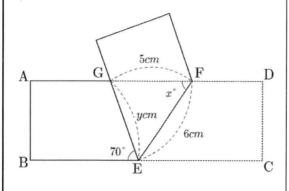

② x의 엇각, y의 동위각 구하기

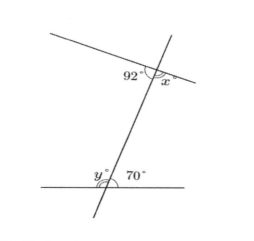

③ 넓이가 $64m^2$인 정사각형 $ABCD$에 대해 x의 값과 $\triangle BFD$의 넓이 구하기

④ 정사각형 $ABCD$에 대해 각 a, b의 값과 $\angle BDC$의 값 구하기

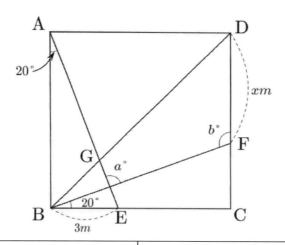

⑤ 직육면체 $ABCD-EFGH$에 대해 서로 수직인 두 선분의 관계를 모두 고르면?

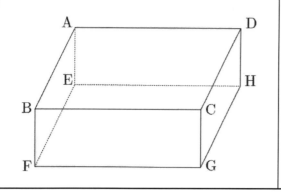

⑥ 선분 BD위에 정삼각형 ABC, CDE가 있다. 다음 중, 옳은 것을 고르면?

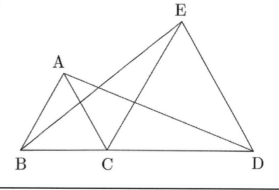

	ㅑ	ㅊ	ㅅ	ㅋ	ㅜ	ㅇ	조합글자
①	60	6	5	$\dfrac{11}{2}$	55	65	

	ㅊ	ㅋ	ㄱ	ㅒ	ㅣ	ㅏ	
②	98	70	88	102	92	110	

	ㅂ	ㅡ	ㅇ	ㅓ	ㅑ	ㄴ	
③	32	24	3	20	4	5	

	ㅇ	ㅈ	ㄹ	ㅣ	ㅑ	ㅜ	
④	40	45	110	90	105	100	

	ㅊ	ㄴ	ㅡ	ㅣ	ㄴ	
⑤	$\overline{EG}, \overline{FH}$	$\overline{BC}, \overline{CD}$	$\overline{FH}, \overline{DH}$	$\overline{BD}, \overline{BH}$	$\overline{AE}, \overline{EH}$	

	ㅂ	ㅇ	ㅓ	ㅅ	
⑥	$\overline{AD} = \overline{BE}$	$\angle ACE = 60\degree$	$\overline{AB} /\!/ \overline{CE}$	$\overline{AC} /\!/ \overline{DE}$	

노래의 제목은?	(힌트)241653

① 정삼각형 ABC, CDE 에 대해 $\overline{AB}, \overline{DE}$ 의 연장선을 연결한 점이 G이다. $\overline{AD}$와 $\overline{BE}$를 연결한 선분의 교점을 F라 할 때 $\angle EFD$의 값을 구하고 $\square ACEG$에 대해 옳은 설명을 고르면?

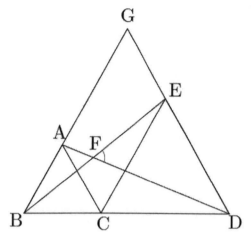

② $l \,/\!/\, m$ 이고, 직선 n이 l과 m을 관통하고 있다. 이 때, 옳은 것을 모두 고르면?

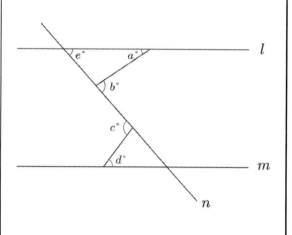

③ $\overline{DE} \,/\!/\, \overline{BC}$ 이고 각 B, C의 이등분선이 $\overline{DE}$와 만나는 점을 각각 F, G라 하자. $\overline{DF} = \overline{GE}$일 때, 옳은 것을 모두 고르면?

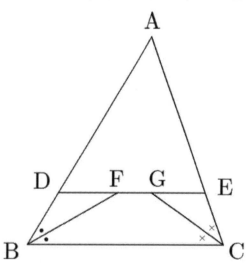

④ $l \,/\!/\, m$ 이고 $\overline{DC} = 2\overline{BD}$ 라 할 때, 다음 중 옳은 것을 모두 고르면?

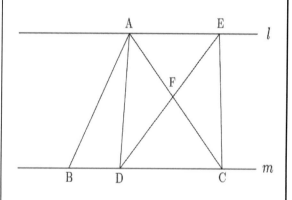

	ㄹ	ㅅ	ㅋ	ㅜ	ㅗ	조합글자
①	60°	55°	65°	마름모	평행사변형	

	ㅊ		ㅈ		ㅣ	ㅔ	
②	$a+b=c+d$		$a+c=b+d$		$b=c$	$d+e=c$	

	ㅗ	ㄹ	ㅑ	ㄴ	
③	$\overline{DB}=\overline{DF}$	$\overline{GE}=\overline{EC}$	$\overline{BF}=\overline{GC}$	$\overline{DF}=\overline{FG}$	
	ㅜ		ㅅ		
	$\triangle DBF \equiv \triangle ECG$		$\triangle DBF = \triangle ECG$		

	ㄴ		ㅏ		
④	$\triangle ADC = \triangle EDC$		$\triangle ABD = \triangle FCE$		
	ㅇ		ㅣ		
	$\triangle AFE = \triangle FDC$		$\triangle ADF = \triangle FCE$		

가수와 노래의 제목은?	(힌트)2431

<Memo>

① $\overline{AB} = \overline{BC} = \overline{CD} = \overline{DE}$ 이고 $\overline{AC} = \overline{CE}$ 라 하자. 각 a, b의 값과 a, b와 관련된 관계식을 고르면?

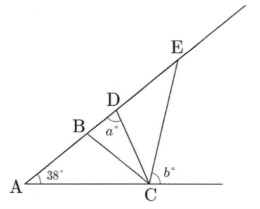

② 각 B, C의 이등분선의 교점이 I라 할 때, 각 a, b의 값과 a, b와 관련된 관계식을 고르면?

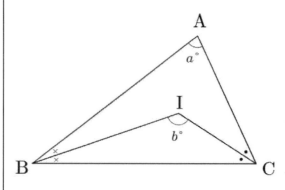

③ $\overline{AC} /\!/ \overline{HI}$ 이고 $\overline{AC} = \overline{CD}$이다. $\angle ACD$의 이등분선을 $\overline{CH}$라 하고 $\overline{CH} \perp \overline{AD}$라 하자. 각 a, b, c의 값으로 올바른 것을 고르면?

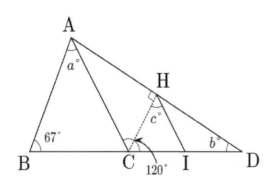

④ $\overline{AB} = \overline{AC}$ 이고 $\overline{AD} = \overline{BE} = \overline{CF}$ 이다. 이 때, a, b값을 고르면?

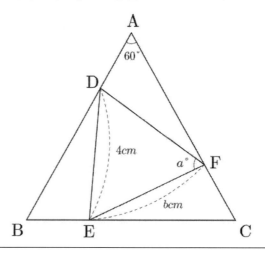

⑤ $\angle B$와 $\angle ACF$의 이등분선이 만나는 점을 D, $\overline{AC}$와 $\overline{BD}$의 교점을 E라 하자. $\overline{BC}$의 연장선 위의 점 F에 대해 각 a, b값을 고르면?

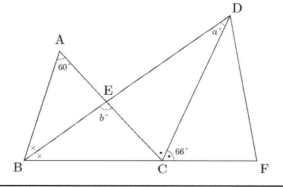

						조합글자
①	ㄹ	ㅇ	ㅋ	ㅜ	ㅣ	
	$72°$	$76°$	$82°$	$a=b-4$	$a=b$	
②	ㄷ	ㅂ	ㅓ	ㅔ		
	$a=70$ $b=140$	$a=50$ $b=115$	$b=90+\dfrac{1}{2}a$	$b=2a$		
③	ㅏ	ㅇ	ㅆ	ㅓ	ㄷ	
	$a=53°$	$b=25°$	$c=60°$	$c=67°$	$b=35°$	
④	ㅂ	ㅈ	ㅇ	ㅣ	ㅜ	
	50	60	6	4	70	
⑤	ㅇ	ㅏ	ㅠ	ㄱ	ㅂ	ㅡ
	30	96	35	101	28	92
가수와 노래의 제목은?	(힌트)31524					

19. 평면도형의 성질 1

질문						조합글자
반지름이 $5m$인 원의 넓이와 원의 둘레(원주)를 고르면?	ㄹ	ㅇ	ㄱ	ㅔ	ㅣ	
	$10m$	$25m^2$	$10\pi m$	$25\pi m^2$	$30\pi m^2$	
정팔각형의 한 내각의 크기와 외각의 크기를 고르면?	ㅂ	ㄴ	ㅠ	ㅈ	ㅓ	ㅔ
	$130°$	$135°$	$140°$	$50°$	$45°$	$40°$
반지름이 $8cm$이고 호의 길이가 12π인 부채꼴의 중심각과 넓이를 각각 고르면?	ㅏ	ㅎ	ㅇ	ㅆ	ㅓ	ㄴ
	$270°$	$90°$	$240°$	$40\pi cm^2$	$48cm^2$	$48\pi cm^2$
반지름이 $\dfrac{6}{\pi}m$ 일 때, 중심각이 $60°$인 부채꼴의 호의 길이와 넓이를 각각 고르면?	ㅂ	ㅇ	ㅈ	ㅔ	ㅣ	ㅜ
	$4m$	$2m$	$\dfrac{6}{\pi^2}m^2$	$\dfrac{6}{\pi}m^2$	$6\pi m^2$	$3m$
대각선의 개수가 14개인 도형의 이름과 내각 및 외각의 총합을 각각 고르면?	ㅇ	ㄴ	ㅠ	ㅏ	ㄴ	ㅡ
	팔각형	칠각형	$1080°$	$900°$	$360°$	$300°$
다음 도형 중, 넓이에 해당하는 것을 모두 고르면?	ㅊ	ㅇ	ㄷ	ㅒ	ㅔ	ㅣ
	현	활꼴	호	원주	부채꼴	반지름
다음 도형 중, 길이에 해당하는 것을 모두 고르면?	ㄴ	ㄷ	ㅓ	ㄴ	ㅑ	ㅠ
	현	활꼴	호	원주	원의 넓이	중심각
다음 각 중, 둔각에 해당하는 것을 모두 고르면?	ㅁ	ㄱ	ㅜ	ㅇ	ㅔ	ㅡ
	$90°$	$105°$	$70°$	$80°$	$150°$	$60°$
노래의 제목은?	(힌트)24153687					

<Memo>

① 정사각형 $ABCD$에 대해 색칠한 부분의 넓이와 색칠하지 않은 부분의 넓이를 각각 고르면?

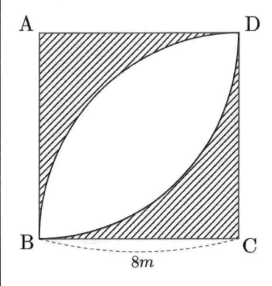

② 반원과 부채꼴로 이루어진 도형에 대해 색칠한 부분의 넓이와 둘레의 길이를 각각 고르면?

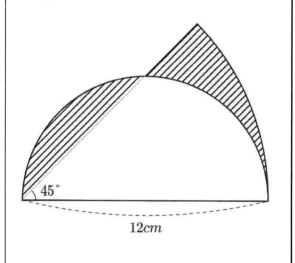

③ 부채꼴 OAB의 넓이가 $20\pi m^2$라 할 때, a, b의 값과 전체 원의 넓이를 고르면?

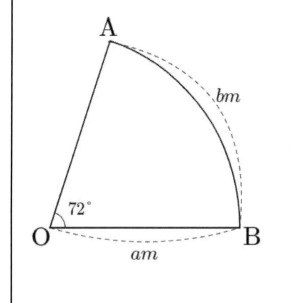

④ 넓이가 $81\pi\,cm^2$인 원에 대해 c, d의 값과 a, b사이의 관계식을 고르면?

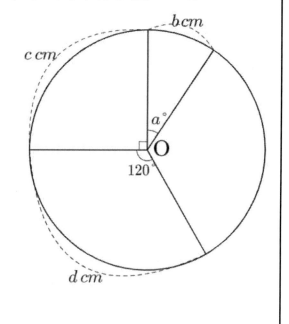

① (단위 : m^2)	ㄹ	ㅇ	ㅗ	ㅜ	ㅍ	조합글자
	$64-16\pi$	$128-16\pi$	$128-32\pi$	$64\pi-32$	$32\pi-64$	

②	ㅂ		ㅇ		ㅠ	ㅔ	
	$12+6\pi\,cm$		$12+9\pi\,cm$		$18\pi-36\,cm^2$	$9\pi-18\,cm^2$	

③	ㄹ	ㅠ	ㅇ	ㅋ	ㅓ	ㅜ
	$100\pi m^2$	$80\pi m^2$	8	10	6π	4π

④	ㄹ	ㅗ	ㅣ	ㅜ	
	$\dfrac{9\pi}{2}$	6π	4π	$\dfrac{7\pi}{2}$	
	ㅇ		ㅏ		
	$a\pi=20b$		$a\pi=10b$		

가수와 노래의 제목은?	(힌트)3412

<Memo>

- 47 -

조합글자

모서리의 개수가 9개인 입체도형을 모두 고르면?	ㄹ	ㄴ	ㄱ	ㅔ	ㅏ	조합글자
	원기둥	삼각뿔대	직육면체	사면체	삼각기둥	
다음 중, 정다면체에 대한 설명으로 옳은 것을 고르면?	ㄹ	ㅇ	ㅏ	ㅈ		
	각 면이 모두 합동인 정다각형	정다면체는 5개 존재한다	각 꼭짓점에 모이는 면의 개수가 같다	정육면체의 모서리의 개수는 8개이다		
회전체를 고르면?	ㅎ	ㅇ	ㅅ	ㅓ	ㄴ	
	정팔면체	원기둥	직육면체	구	원뿔	
회전축을 포함하는 평면으로 자른 단면이 직사각형, 원인 것을 각각 고르면?	ㅈ	ㅔ	ㅣ	ㅜ		
	원기둥	구	원뿔	원뿔대		
구의 겉넓이와 부피를 구하는 공식을 고르면? (r: 반지름)	ㅎ	ㄴ	ㅏ	ㅐ	ㅡ	
	$4\pi r^2$	πr^2	$2\pi r^2$	$\dfrac{4}{3}\pi r^3$	$\dfrac{1}{3}\pi r^2$	
원기둥의 겉넓이와 부피를 구하는 공식을 고르면? (r: 반지름, h: 높이)	ㅊ	ㅅ	ㅏ	ㅣ		
	$\dfrac{4}{3}\pi r^2 h$	$\pi r^2 h$	$2\pi r^2 + 2\pi rh$	$4\pi r^2$		
노래의 제목은?	(힌트)341625					

<Memo>

22. 입체도형의 성질2

① 직선 l을 회전축으로 하여 회전시킬 때 생기는 회전체의 이름을 고르시오.

처음 원뿔의 부피가 $27\pi m^3$이라 할 때, 잘린 윗부분의 원뿔의 높이와 그 원뿔의 부피의 값을 고르면?

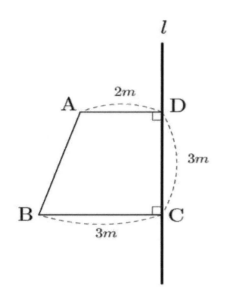

② 한 모서리의 길이가 $5m$인 정육면체에 대해 $C-BGD$ 도형의 이름을 구하고, 그 도형의 부피를 구하여라. 또한, 그 도형과 정육면체의 부피비를 가장 간단한 정수비로 나타낸 것을 고르면?

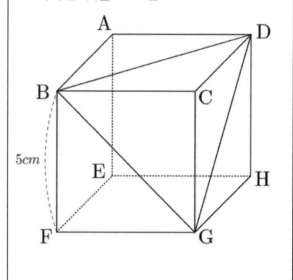

③ 다음 직각삼각형에 대해 $\overline{AB}, \overline{AC}, \overline{BC}$를 각각 축으로 하였을 때 나오는 도형의 부피를 각각 고르면?

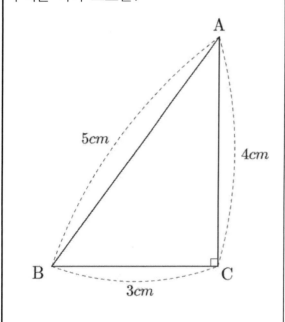

④ $\triangle ABC$와 $\triangle ADC$를 직선 l을 축으로 하여 회전시킨 도형의 부피를 각각 구하고, 이들 사이의 가장 간단한 정수비를 고르면?

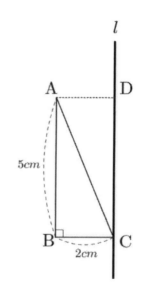

	ㅡ	ㅠ	ㅇ	ㅗ	ㄷ	ㄴ	조합글자
①	$6m$	원기둥	원뿔대	$4m$	$12\pi m^3$	$8\pi m^3$	
② (단위: m^3)	ㅂ	ㅎ	ㅇ	ㅔ	ㅠ	ㅐ	
	사각뿔	삼각뿔	$\dfrac{125}{6}$	$\dfrac{125}{3}$	$1:3$	$1:6$	
③ (단위: cm^3)	ㄹ	ㄱ	ㅇ	ㅋ	ㅓ	ㅁ	
	$\dfrac{144}{5}\pi$	$\dfrac{48}{5}\pi$	36π	10π	12π	16π	
④ (단위: cm^3)	ㅂ	ㄷ	ㅗ	ㄱ	ㅜ	ㅡ	
	$\dfrac{20}{3}\pi$	20π	$\dfrac{40}{3}\pi$	$2:1$	40π	$3:1$	
노래의 제목은?	(힌트)3124						

\<Memo\>

23. 평면도형과 입체도형의 성질

① $\overline{AC} /\!/ \overline{OD}$ 일 때 색칠한 활꼴과 $\triangle AOC$ 의 넓이를 각각 구하고 $\triangle AOC$ 와 넓이가 같은 삼각형을 고르면?

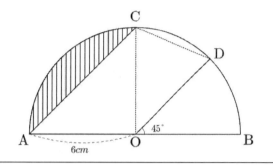

② $\overline{OA} = \overline{AE} = \overline{EB}$ 일 때, 세 부채꼴의 넓이비를 각각 구하고, 빗금 친 도형의 넓이를 고르면?

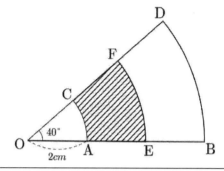

③ 빗금 친 도형의 둘레와 넓이를 고르면?

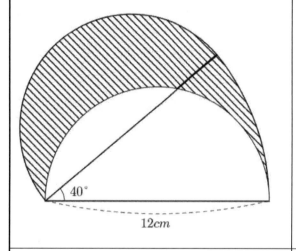

④ 정사각형 $ABCD$ 를 오른쪽으로 회전한 도형에 대해 $\overline{AE} = \overline{CE}$ 일 때, 색칠한 부분의 넓이와 $\angle ACE$ 의 값을 고르면?

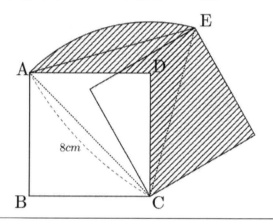

⑤ 반구의 겉넓이와 부피를 고르면?

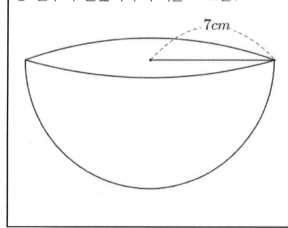

⑥ 아래 평면도형의 넓이를 구하고, 아래의 도형을 직선 l 을 회전축으로 회전시켰을 때 나타난 도형의 부피를 고르면?

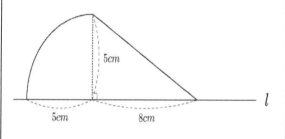

① (단위: cm^2)	ㅡ	ㅓ	ㄷ	ㅇ	ㅂ	ㅐ	조합글자
	36	18	$18\pi-18$	$9\pi-18$	$\triangle ACD$	$\triangle AOD$	

②	ㅑ	ㅡ	ㅇ	ㅅ	ㅠ
	$1:3:5$	$1:2:3$	$1:4:9$	$\dfrac{16}{9}\pi m^2$	$\dfrac{4}{3}\pi m^2$

③	ㅈ	ㅑ	ㅋ	ㅡ	ㅁ
	$16\pi\,cm^2$	$12\pi\,cm^2$	$20\pi\,cm^2$	$\dfrac{44}{3}\pi cm$	$\dfrac{80}{3}\pi cm$

④	ㅂ	ㄹ	ㅗ	ㄱ	ㅔ	ㅡ
	55°	60°	65°	$16\pi cm^2$	$\dfrac{32}{3}\pi cm^2$	$32\pi cm^2$

⑤	ㄷ	ㅣ	ㅗ	ㅜ	ㅇ
	$98\pi cm^2$	$147\pi cm^2$	$\dfrac{343}{3}\pi cm^3$	$49\pi cm^2$	$\dfrac{686}{3}\pi cm^3$

⑥	ㅁ	ㄷ	ㅣ	ㅗ
	$150\,\pi cm^3$	$130\pi cm^3$	$\dfrac{25}{4}\pi+20cm^2$	$\dfrac{25}{2}\pi+20cm^2$

노래의 제목은?	(힌트)245361

24. 대푯값(22개정에서 중3 → 중1로 이동)

다음 중, 자료를 대표할 수 있는 대푯값으로 올바른 것을 3가지 고르면?	─	ㅓ	ㄴ	ㅇ	ㅎ	ㅐ	조합글자
	범위	최빈값	평균	분산	중앙값	편차	
위에서 구한 대푯값들에 대한 영어 표현을 3가지 고르면?	ㅑ	ㅈ	ㅓ	ㅇ	─		
	variance	mean	mode	median	range		
최빈값을 대푯값으로 선택하기에 가장 적절한 것을 2가지 고르면?	ㅈ	ㅇ	ㅋ		ㅔ		
	전과목 성적	좋아하는 색깔	모두 다 다른 수치의 자료		신발 사이즈		
1,3,4,5,5,6의 대푯값을 있는 대로 고르면?	ㅇ	ㅂ	ㅜ	ㄱ	ㅏ	ㅠ	
	3	4	6	4.5	5	1	
다음 중, 최빈값이 존재하지 않는 자료를 3가지 고르면?	ㄲ	ㅗ	ㅜ	ㅁ			
	1,2,3,4,5	1,1,2,2,3	3,3,3,3,3	1,1,2,2,3,3			
가수와 노래의 제목은?	(힌트)42153						

<Memo>

통계 자료의 결과가 원래의 자료를 훼손하지 않는 것을 2가지 고르면?	ㅇ	ㅔ	ㅠ	ㅍ	조합글자
	히스토그램	줄기와 잎 그림	도수분포표	대통령선거	

줄기와 잎 그림으로 나타내기에 좋은 통계자료를 2가지 고르면?	ㅑ	ㅅ	ㅓ	ㅇ	ㅡ	
	전국 중1 학생의 키	KTX 상하행편 기차시간표	학급반장 선거결과	시즌 별 야구장의 일일 관객수	한달 간의 일별 기온	

도수분포다각형에 대한 설명으로 옳은 것을 2가지 고르면?	ㅈ	ㅇ	ㅣ	ㅔ	
	넓이는 항상 1이다	히스토그램을 그릴 수 있다	변량이 연속적일 때 적절하다	변량이 이산적일 때 적절하다	

전체 도수에 대한 각 계급의 도수의 비율을 지칭하는 용어와 이 값의 총합을 고르면?	ㅍ	ㄱ	ㅡ	ㅗ	ㅠ	
	상대도수	도수	계급의 크기	1	100	

도수의 총합이 다른 두 집단의 분포를 다룰 때, 적절한 통계자료를 고르면?	ㅋ	ㅗ	ㅓ	ㅁ	ㅜ	
	도수분포 다각형	히스토그램	상대도수	도수	줄기와 잎 그림	

| 노래의 제목은? | (힌트)45132 | | | | | |

<Memo>

①~③ 다음은 한 학급의 수학 성적을 줄기와 잎 그림으로 나타낸 것이다.
자료를 보고 물음에 답하시오.

(6|3은 63점)

줄기	잎
6	3 4 5 5 6
7	2 4 6 7
8	1 1 3 4 4 5
9	2 2 2 4
10	0

④, ⑤ 어느 도시에서 발생한 음식물 쓰레기의 무게를 2년간 매월 5일에 조사한 것이다. 자료를 보고 물음에 답하시오.

<음식물 쓰레기의 무게>

무게(t)	도수(월수)
100 이상 ~ 130 미만	2
130 ~ 160	4
160 ~ 190	
190 ~ 220	6
220 ~ 250	3
250 ~ 280	2
합계	

(자료: 부산진구, http://www.busanjin.go.kr, 2016년)

⑥, ⑦ 어느 중학교 1학년 학생 100명의 $50m$달리기 기록을 조사한 것이다.
자료를 보고 물음에 답하시오.

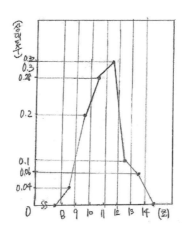

① 줄기와 잎 그림의 최빈값과 중앙값을 각각 고르면?	ㅏ	ㅇ	ㅂ	ㅜ	ㅎ	ㅣ	조합글자
	65	72	92	83	84	81	
② 위 자료를 계급의 크기가 10인 도수분포표로 나타낼 때, 계급의 개수와 도수가 가장 큰 계급의 계급값을 각각 고르면?	ㅑ	ㅇ	ㅈ	ㅣ	ㅅ	ㅡ	
	3	5	95	75	85	4	
③ 위 자료를 통해 구할 수 있는 것을 모두 고르면?	ㅍ	ㅠ	ㅇ	ㅏ	ㅔ		
	중앙값	전교1등의 수학점수	최빈값	평균	영어 성적		
④ 160이상 190미만에 해당하는 도수와 그 때의 상대도수를 각각 고르면?	ㅣ	ㄹ	ㅌ	ㅠ	ㅏ	ㅜ	
	7	6	$\frac{7}{24}$	0.25	0.3	8	
⑤ 위 자료를 통해 구할 수 있는 것을 모두 고르면?	ㅍ		ㅇ	ㅏ	ㅇ		
	도수가 4인 음식물 쓰레기의 실제 무게		중앙값	최빈값	평균		
⑥ 도수분포다각형의 넓이와 도수가 가장 큰 계급의 계급값을 고르면?	ㄷ	ㅇ	ㅡ	ㅔ	ㄹ		
	10	1	10.5	11.5	100		
⑦ 위 자료를 통해 구할 수 있는 것을 모두 고르면?	ㅐ	ㅏ	ㅁ	ㄴ			
	계급의 크기	제일 빠른 학생의 실제 기록	평균	계급별 계급값			
가수와 노래의 제목은?	(힌트)1462537						

27. 유리수와 순환소수1

	ㅏ	ㅕ	ㅅ	ㅇ	ㅎ	ㅊ	조합글자
다음 중, 분수표현과 소수표현이 일치하는 것을 짝지어 고르면?	1.125	$\dfrac{3}{2}$	$\dfrac{9}{8}$	0.5	$0.666\cdots$	$\dfrac{3}{4}$	

	ㅑ	ㅇ	ㅈ	ㅣ	ㅅ	ㅡ	
다음 중, 정수가 아닌 유리수를 고르면?	9	$\dfrac{1}{3}$	0	$-\dfrac{8}{5}$	-21	0.4	

	ㅂ	ㅇ	ㅑ	ㅔ	
다음 중, 소인수분해가 올바르게 된 것을 고르면?	$20 = 4 \times 5$	$24 = 2^3 \times 3$	$50 = 2 \times 5^2$	$42 = 6 \times 7$	

	ㄷ	ㄹ	ㅇ	ㅠ	ㅏ	ㅣ	
다음 중, 무한소수로 나타나는 수를 모두 고르면?	$\dfrac{1}{4}$	$\dfrac{1}{3}$	$\dfrac{2}{7}$	-0.3	π	$-\dfrac{2}{5}$	

	ㅍ	ㅗ	ㅏ	ㅇ	ㅅ	
$0.1241241\cdots$의 순환마디와 올바른 표현에 대해 고르면?	$0.1\dot{2}4\dot{1}$	$0.\dot{1}24\dot{1}$	$0.\dot{1}2\dot{4}1$	124	241	

	ㅆ	ㅇ	ㅔ	ㅣ	ㄷ	
다음 중, 기약분수를 모두 고르면?	$\dfrac{3}{7}$	$\dfrac{10}{22}$	$-\dfrac{10}{14}$	$\dfrac{8}{9}$	$-\dfrac{7}{21}$	

	ㅇ	ㅣ	ㅏ	ㅜ	ㄴ	
다음 중, 유한소수로 나타낼 수 있는 분수를 모두 고르면?	$\dfrac{6}{15}$	$-\dfrac{30}{48}$	$-\dfrac{1}{6}$	$\dfrac{20}{44}$	$\dfrac{1}{32}$	

가수와 노래의 제목은?	(힌트)6314275

<Memo>

28. 유리수와 순환소수2

순환소수 $x=0.\dot{9}\dot{2}$를 분수로 나타내기 위해 필요한 식과 그 값을 고르면?	ㅏ	ㄷ	ㅇ	ㅂ	ㅣ	조합글자
	$10x-x$	$100x-10x$	$\dfrac{45}{46}$	$100x-x$	$\dfrac{92}{99}$	
순환소수 $x=0.3\dot{1}\dot{2}$를 분수로 나타내기 위해 필요한 식과 그 값을 고르면?	ㄹ	ㅣ	ㅓ	ㅡ		
	$1000x-10x$	$1000x-100x$	$\dfrac{103}{330}$	$\dfrac{104}{330}$		
다음 중, 1.3과 1.4사이에 있는 수를 모두 고르면?	ㅂ	ㄴ	ㅇ	ㅑ	ㅗ	
	1.415	$1.\dot{3}$	1.314	$1.\dot{4}$	$\dfrac{27}{20}$	
$\dfrac{1}{4}$과 $\dfrac{15}{11}$사이의 분수 중, 분모가 44이고 유한소수로 나타낼 수 있는 수를 고르면?	ㄷ	ㅛ	ㅇ	ㅠ	ㄴ	ㅣ
	$\dfrac{20}{44}$	$\dfrac{22}{44}$	$\dfrac{55}{44}$	$\dfrac{28}{44}$	$\dfrac{33}{44}$	$\dfrac{36}{44}$
다음 중, 순환소수와 분수표현이 일치하는 것을 짝지어 고르면?	ㅍ	ㅂ	ㅏ	ㅡ	ㅅ	
	$0.\dot{2}$	$\dfrac{4}{11}$	$\dfrac{1}{6}$	$0.\dot{3}\dot{6}$	$0.\dot{3}$	
다음 중, 유한소수로 나타낼 수 있는 수를 모두 고르면?	ㅠ	ㅌ	ㅏ	ㅂ		
	$\dfrac{2\times7}{7^2}$	$\dfrac{2\times3\times7^2}{5\times7}$	$\dfrac{2\times3^3\times7}{3^2\times5}$	$\dfrac{2\times7}{5}$		
분수 $\dfrac{5}{42}$에 자연수 a를 곱해 유한소수가 된다고 할 때, 그 유한소수와 a의 값을 고르면?	ㅅ	ㅣ	ㅔ	ㅂ	ㄴ	
	21	7	2.5	3	3.5	
가수와 노래의 제목은?	(힌트)1472536					

<Memo>

29. 유리수와 순환소수3

다음 중, 옳은 것을 모두 고르면?

ㅏ	ㅡ	조합글자
유리수는 순환하지 않는 무한소수이다	정수가 아닌 유리수는 소수로 나타낼 수 있다	
ㅋ	ㅇ	
모든 순환소수는 유리수이다	유한소수는 기약분수의 분모의 소인수가 3 또는 5이다	

다음 중, $x=1.3\dot{1}\dot{4}$에 관한 설명으로 옳은 것을 모두 고르면?

ㄹ	ㅁ	ㅣ	ㅓ	ㅔ
유한소수 이다	순환소수 이다	분수표현은 $1000x-x$ 를 이용한다	$\dfrac{437}{330}$ 이다	$\dfrac{1301}{990}$ 이다

순환하지 않는 무한소수를 모두 고르면?

ㅂ	ㅌ	ㅜ	ㅗ
π	$3.010010001\cdots$	$\pi-3$	$0.323232\cdots$

다음 중, 순환소수를 분수로 나타내기 위해 필요한 식이 $1000x-10x$에 해당하는 순환소수를 모두 고르면?

ㄷ	ㅁ	ㅏ	ㄴ	ㅣ
$x=1.5\dot{2}\dot{2}$	$x=1.1\dot{3}\dot{2}$	$x=3.1\dot{2}\dot{4}$	$x=1.2\dot{9}$	$x=2.0\dot{1}$

다음 중, 가장 큰 수와 가장 작은 수를 고르면?

ㅁ	ㅂ	ㅏ	ㅡ	ㅣ
0.8	$0.\dot{8}$	$0.87\dot{3}$	$0.89\dot{7}$	$0.8\dot{9}$

두 순환소수 $1.\dot{3}$과 $2.\dot{5}$의 역수를 각각 a,b라 할 때, ab와 $\dfrac{b}{a}$의 값을 고르면?

ㅠ	ㄹ	ㅌ	ㅣ	ㅂ
$\dfrac{92}{27}$	$\dfrac{27}{92}$	$\dfrac{23}{12}$	$\dfrac{12}{23}$	$\dfrac{13}{25}$

가수와 노래의 제목은? (힌트)413265

<Memo>

30. 지수법칙

다음 중, 7^4을 나타내는 식으로 옳은 것을 모두 고르면?	ㅂ	ㅡ	ㅜ	ㅍ	조합글자
	$7 \times 7 \times 7 \times 7$	$7+7+7+7$	$(7^2)^2$	$7 \times 7 + 7 \times 7$	

다음 중, 옳은 설명을 모두 고르면? (단, m,n은 자연수)	ㅌ		ㅇ		
	$a^m \times a^n = a^{m+n}$		$a^m \times a^n = a^{mn}$		
	ㅑ		ㅓ		
	$(a^m)^n = a^{m+n}$		$(a^m)^n = a^{mn}$		

다음 중, $x^2 \times x^3$과 $a^3 \times (b^4)^2 \times a^2$의 값을 간단히 한 것을 고르면?	ㅣ	ㅈ	ㅌ	ㄹ	ㅗ
	x^5	x^6	$a^6 b^8$	$a^5 b^8$	$a^6 b^6$

다음 중, 옳은 설명을 모두 고르면? (단, n은 자연수)	ㅇ	ㅜ	ㄴ	ㅣ	
	$(ab)^n = a^n b^n$	$\left(\dfrac{a}{b}\right)^n = \dfrac{a^n}{b^n}$	$\left(\dfrac{a}{b}\right)^n = \dfrac{a^n}{b}$	$(ab)^n = ab^n$	

식 $(x^3 y^5)^2$와 $\left\{\dfrac{(-3x)}{y^2}\right\}^2$을 간단히 한 것을 고르면?	ㅁ	ㅗ	ㅇ	ㅣ	
	$x^5 y^7$	$\dfrac{9x^2}{y^4}$	$x^6 y^{10}$	$\dfrac{6x^2}{y^4}$	

다음 중, 옳지 않은 것을 모두 고르면?	ㄴ	ㅡ	ㅜ	ㄴ	
	$a^2 \div a^3 = \dfrac{2}{3}$	$x^6 \div x^2 = x^3$	$x^6 \div x^2 = x^4$	$a^2 \div a^3 = a^{\frac{2}{3}}$	

다음 중, 식의 계산이 옳은 것을 모두 고르면?	ㅡ		ㄹ		
	$(-3a)^2 = 9a^2$		$\left(\dfrac{a^5}{b^3}\right)^2 = \dfrac{a^{10}}{b^6}$		
	ㄴ		ㅠ		
	$(-ab^2)^3 = -a^3 b^6$		$(5a)^2 = 10a^2$		

노래의 제목은?	(힌트)5712436				

- 66 -

<Memo>

31. 동류항의 계산(중1)/단항식의 곱셈과 나눗셈

세 개의 식 $2a+7$, $2b-3$, $a-3b+2a+5b-2$를 간단히 한 것을 고르면?	ㅇ	ㄷ	ㅔ	ㅂ	ㄴ	조합글자
	$2a+7$	$9a$	$2b-3$	$-b$	$3a+2b-2$	

다음 중, 동류항끼리 짝지어진 것을 모두 고르면?	ㄹ	ㅂ	ㅈ	ㅓ	ㅡ	
	$-3a, \dfrac{4}{3a}$	$3a, \dfrac{4}{3}a$	$3x^2, -\dfrac{x^2}{7}$	$-5y, \dfrac{4}{3}y$	$5x, -3y$	

두 식 $3x^2y^3$, $-\dfrac{3y}{2x^3}$를 곱하거나 나눈 식을 모두 고르면?	ㅂ	ㄷ	ㅇ	ㅑ	ㅣ	
	$\dfrac{1}{2x^5y}$	$-\dfrac{9y^4}{2x}$	$-2x^5y^2$	$2x^5y$	$-\dfrac{1}{2x^5y^2}$	

식을 계산하였을 때, 분자의 x의 지수가 3인 것을 모두 고르면?	ㅇ		ㄲ	
	$(-2x)^2 \times \dfrac{y^3}{x}$		$(-5x)^2 \times xy^2$	
	ㅗ		ㅊ	
	$(2x)^5 \times \left(-\dfrac{y^3}{x^2}\right)$		$4x^3 \times (-5y)^5$	
	ㄷ		ㅡ	
	$3x^2 \times \dfrac{y^3}{x^5}$		$\left(\dfrac{1}{7x}\right)^4 \times y^4 \div x^7$	

노래의 제목은?	(힌트)2413

<Memo>

32. 단항식의 계산/다항식의 계산

$2x(y+2)$을 전개한 식과 이 식의 역수를 고르면?	ㅇ	ㄷ	ㅗ	ㅜ	조합글자
	$2xy+4x$	$2xy+2x$	$\dfrac{1}{2xy+4x}$	$-2xy-4x$	

두 식 $2a(a-2b)$와 $-3a(a+2b)$를 더하거나 뺀 식을 모두 고르면?	ㅂ	ㅣ	ㅡ	ㄴ	
	$-a^2-10ab$	$3a^2-6ab$	$5a^2+2ab$	$-5a^2-2ab$	

직육면체 모양의 물통의 부피가 $72x^6y^4$이고 밑면의 가로의 길이가 $4x^2$, 세로의 길이가 $3xy^2$일 때, 물통의 높이와 겉넓이를 각각 고르면?	ㅌ	ㅇ	ㅅ	ㅜ	ㅔ
	$4x^3y^2$	$6x^2y^2$	$6x^3y^2$	$24x^5y^2+18x^4y^4+24x^3y^2$	$48x^5y^2+36x^4y^4+24x^3y^2$

$2x^2y^5\times(-3x)^3\div\dfrac{2}{3}xy^3$ $=ax^by^c$일 때, 세 수 a,b,c의 값을 모두 고르면?	ㄷ	ㅅ	ㅏ	ㄴ	ㅗ
	-54	-81	54	2	4

$\dfrac{x^2-3y}{4}-\dfrac{2x^2-5y}{5}$를 간단히 한 식과, x^2과 y의 계수를 각각 고르면?	ㅁ	ㅌ	ㄴ	ㅑ	ㅡ	ㅣ
	$\dfrac{3}{20}x^2-\dfrac{1}{4}y$	$-\dfrac{3}{20}x^2+\dfrac{1}{4}y$	$-\dfrac{3}{20}$	$-\dfrac{1}{4}$	$\dfrac{3}{20}$	$\dfrac{1}{4}$

양수 a,b에 대해 겉넓이가 $4\pi a^2b^6$인 구의 반지름, 부피, 반구의 겉넓이를 모두 고르면?	ㅇ	ㄱ	ㅌ	ㅗ	ㅂ
	$\dfrac{4}{3}\pi a^3b^9$	ab^3	a^2b^3	$3\pi a^2b^6$	$2\pi a^2b^6$

가수와 노래의 제목은?	(힌트)325416				

<Memo>

33. 식의 값/대입

$(8x^3y-3xy^2)\div 2x^2y$를 간단히 한 식과, $x=2, y=-2$일 때 그 식의 값을 고르면?	ㅇ	ㄷ	ㅏ	ㅗ	ㅜ	조합글자
	$4x-\dfrac{3y}{2x}$	$4xy-\dfrac{3y}{2x}$	$\dfrac{19}{2}$	10	$\dfrac{13}{2}$	
$S=\dfrac{h(a+b)}{2}$를 a,b,h에 관한 식으로 옳게 나타낸 것을 모두 고르면?	ㅂ	ㄷ	ㅣ	ㅗ	ㄴ	
	$a=\dfrac{2S}{h}+b$	$a=\dfrac{2S}{h}-b$	$h=\dfrac{a+b}{2S}$	$h=\dfrac{2S}{a+b}$	$b=\dfrac{2S}{h}-a$	

$\dfrac{7(a+b)-2ab}{3(a+b)}$를 간단히 한 식과, $\dfrac{1}{a}+\dfrac{1}{b}=\dfrac{1}{5}$일 때 그 식의 값을 고르면?	ㅇ	ㅓ	ㅜ	ㅔ
	$\dfrac{7}{3}-\dfrac{2ab}{3(a+b)}$	-1	$\dfrac{17}{3}$	$\dfrac{7}{3}-\dfrac{2(a+b)}{3(ab)}$

$\dfrac{6a+8a^2b}{2a}-\dfrac{6a^3b-9a^2}{3a^2}$를 간단히 한 식과, $a=-1, b=3$일 때 그 식의 값을 고르면?	ㄷ	ㅜ	ㅣ	ㅇ	ㅌ	ㅗ
	6	-12	0	$2ab+6$	$6ab+6$	$-2ab$

$\dfrac{a^3-\dfrac{1}{a^3}}{a^3+\dfrac{1}{a^3}}$을 간단히 한 식과, $a^2=3$일 때, 그 식의 값을 고르면?	ㅁ	ㅋ	ㄴ	ㅔ	ㅡ	ㅣ
	$\dfrac{a^6+1}{a^6-1}$	$\dfrac{a^6-1}{a^6+1}$	$\dfrac{14}{13}$	$\dfrac{13}{14}$	$\dfrac{a^9-1}{a^9+1}$	$\dfrac{53}{55}$

노래의 제목은?	(힌트)14253

<Memo>

34. 일차부등식1

	ㄱ	ㅏ	ㅡ	ㄴ	조합글자
다음 중, 일차부등식을 모두 고르면?	$3x-7>0$	$3x+8=0$	$2y+7<-1$	$x^2-3>0$	

	ㅂ	ㅌ	ㅣ	ㅗ	ㅏ
$a<0$, $ab<0$일 때, 다음 중, 옳은 것을 모두 고르면?	$b<0$	$b>0$	$a^2-b^2>0$	$\dfrac{a}{b}>0$	$a-b<0$

	ㄴ	ㄹ	ㅣ	ㄷ	ㅔ
일차부등식 $2x-6\le -x+8$의 해를 보기에서 모두 고르면?	2	$\dfrac{16}{3}$	$\dfrac{13}{3}$	3	$\dfrac{17}{2}$

	ㄷ	ㅡ	ㅣ	ㅇ	ㅅ	ㅗ
일차부등식 $5<4(x+2)\le 21$를 만족하는 x값 중, 가장 큰 정수와 가장 작은 정수를 고르면?	-1	0	1	2	3	4

	ㅁ	ㅇ	ㄹ	ㅣ	ㅡ	ㄴ
0이 아닌 세 수 a,b,c사이에 $ab<0, ac>0, |a|>|c|, b-c>0$이 성립할 때, 옳은 것을 고르면?	$c>b$	$b>c$	$a>c$	$c>a$	$a>b$	$b>a$

	ㅁ	ㄹ	ㄷ	ㅐ	ㅡ	ㅠ
일차부등식 $-15+4x<x-a$를 만족하는 자연수 해가 없을 때, 가능한 상수 a의 값을 고르면?	13	16	-5	12	10	-13

가수와 노래의 제목은?	(힌트)354216

<Memo>

35. 일차부등식2

						조합글자
$a>b>0$일 때, 다음 중 항상 성립하는 것을 모두 고르면?	ㅜ	ㅇ	ㅏ	ㅣ	ㄴ	
	$ac>bc$	$a+c>b+c$	$\dfrac{a}{c}<\dfrac{b}{c}$	$\dfrac{1}{a}<\dfrac{1}{b}$	$\dfrac{1}{a}>\dfrac{1}{b}$	
일차부등식 $ax-6>0$ 의 해가 $x<-2$일 때 a의 값과 $(a-2)x<10$의 해를 고르면?	ㅂ	ㅌ	ㅏ	ㅣ	ㄷ	
	$a=-3$	$a=3$	$a=-2$	$x>-2$	$x>2$	
두 수 x,y에 대해 $-1\le x\le 3, 2\le y\le 5$ 일 때 $m\le\dfrac{x}{y}\le M$이다. $m,M,m+M$을 고르면? (m은 최솟값, M은 최댓값)	ㅜ	ㅂ	ㅣ	ㄱ	ㅔ	
	$-\dfrac{1}{2}$	1	$\dfrac{3}{5}$	$\dfrac{3}{2}$	$\dfrac{1}{10}$	
$0.\dot{2}x-3<0.\dot{5}x+1$의 해를 부등식으로 나타낸 것과, 그 해 중 가장 큰 정수해를 고르면?	ㄷ, ㄱ, ㅣ, ㅇ, ㅅ, ㅗ					
	$x>-\dfrac{4}{3}$	$x>-12$	-11	-1	$x>-6$	-5
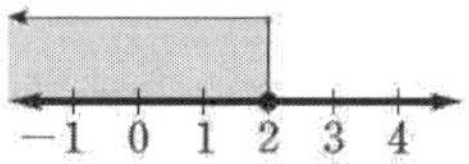 위 그림이 해가 되는 일차부등식을 고르면?	ㅎ	ㅐ	ㅣ	ㅇ	ㄴ	
	$x\le 2$	$3x-6\le 0$	$x<2$	$-5x\ge -10$	$x\ge 2$	
다음 중, 부등호의 방향이 바뀌는 부등식을 모두 고르면?	ㄱ	ㅐ	ㅓ	ㅠ		
	양변을 같은 음수로 나눌 때	양변에 같은 양수를 더할 때	양변을 같은 음수로 곱할 때	수나 문자를 이항할 때		
가수와 노래의 제목은?	(힌트)631254					

<Memo>

① 하나에 700원 하는 과자와 900원 하는 아이스크림을 합하여 13개를 구입하려 한다. 전체 가격이 10000원이 넘지 않게 하려면 아이스크림을 최대 몇 개 구입할 수 있는지 구하고, 그렇게 과자와 아이스크림을 구입했을 때 남은 거스름돈을 고르면?

② 어느 지역의 버스요금은 거리에 관계없이 1인당 1300원이다. 택시요금은 출발 후 2km까지는 기본요금이 2500원이고, 이후부터는 100m당 120원씩 부과된다. 4km 떨어진 거리를 가려고 할 때, 버스가 아닌 택시를 타서 요금이 더 적게 들기 위한 택시의 최소 탑승 인원을 구하고, 그 때 두 요금의 차이를 고르면?

③ 어느 유적지의 학생 입장료는 900원이다. 그런데 25명 이상일 경우에는 단체 입장료를 1인당 10% 할인해 준다고 한다. 학생이 최소 몇 명 이상일 때, 25명 단체로 하여 표를 사는 것이 더 유리한지 구하고, 조건을 만족시키기 위해 추가로 필요한 인원 수를 고르면?

④ 온라인 스토어에서 원가가 3000원인 물건에 x%의 이익을 붙여서 정가를 정하였다. 세일 기간에 20% 할인하여 물건을 판매하고 원가의 10%이상 이익을 남기고자 할 때, 정가는 얼마 이상으로 정하면 되는지 구하고, x의 값도 고르면?

⑤ 제품의 원가에 25%의 이익을 붙여 정가를 정하였다. 이 신발이 팔리지 않아 x%할인하여 팔려고 한다. 손해를 보지 않고 판매하려 할 때 x의 최댓값을 구하고, 위와 같은 상황에서 제품의 원가가 30000원이라 할 때 정가를 고르면?

⑥ 5%의 소금물 300g과 10%의 소금물을 섞어서 농도가 6%이상 8%이하인 소금물을 만들려고 한다. 이 때 10% 소금물의 양으로 적절한 것을 모두 고르면?

⑦ 디지털카메라로 찍은 사진을 인화 업체에서 인화하려고 한다. 사진 한 장의 인화 요금이 A업체는 150원이고, B업체는 200원이다. A업체에서 인화하면 배송비 3000원이 별도로 들고, B업체는 부가세 10%가 별도이다. 사진을 30장 인화할 때, A업체와 B업체 각각의 요금을 구하고, 사진을 최대 몇 장까지 인화할 때 B업체를 이용하는 것이 유리한지 고르면?

	ㅏ	ㅇ	ㄷ	ㄹ	ㅂ	ㅣ	조합글자
①	3	4	9	400	300	100	
	ㄹ	ㄷ	ㅅ	ㅣ	ㅡ	ㅠ	
②	5	3	4	100	300	400	
	ㅂ	ㄴ	ㅓ	ㅇ	ㅑ	ㅗ	
③	4	3	2	23	22	21	
	ㄷ	ㅖ	ㅇ	ㅠ	ㄴ	ㅣ	
④	3750	4125	37.5	25	3915	30.5	
	ㅍ	ㄷ	ㄱ	ㅏ	ㅗ	ㅔ	
⑤	15	20	25	32500	35000	37500	
⑥ (단위: g)	ㅠ	ㅅ	ㅣ	ㄱ	ㅏ	ㅌ	
	50	75	200	400	475	500	
⑦	ㄷ	ㅃ	ㅣ	ㅓ	ㅅ	ㄴ	
	4500	7500	43	6600	42	6000	
가수와 노래의 제목은?	(힌트)5162473						

37. 연립일차방정식 1

다음 중, 두 미지수 x, y에 대한 일차방정식을 모두 고르면?	ㅏ	ㅇ	ㄷ	ㅓ	조합글자
	$xy+5=0$	$x+2y-7=0$	$\dfrac{y}{x}-8x=0$	$\dfrac{y}{x}-8=0$	

다음 중, 일차방정식 $3x-4y=0$의 해를 모두 고르면?	ㄹ	ㅈ	ㅅ	ㅣ	―	ㅠ
	$(4,-3)$	$(4,3)$	$(3,4)$	$(12,9)$	$(4,-8)$	$(12,-9)$

다음 일차방정식 중, $x=1, y=-2$를 해로 갖는 일차방정식을 모두 고르면?	ㅎ	ㄴ	ㅔ	ㅗ
	$2x+y=0$	$2x+3x-1=0$	$3x-y-5=0$	$-x+2y=0$

x, y가 자연수일 때, $4x+7y=80$의 해를 모두 고르면?	ㄷ	ㅔ	ㅇ	ㅎ	ㄴ	ㅐ
	$(4,13)$	$(8,6)$	$(16,2)$	$(6,8)$	$(9,6)$	$(13,4)$

다음 중, 연립일차방정식을 모두 고르면?	ㅁ	ㅠ	ㅏ	ㄹ
	$\begin{cases} x=2y \\ 3x-5y=7 \end{cases}$	$\begin{cases} xy=2 \\ 2y-x=0 \end{cases}$	$\begin{cases} x-2y=1 \\ 3x+5y=7 \end{cases}$	$\begin{cases} 2x=y-3 \\ x-y=-7 \end{cases}$

$\begin{cases} \dfrac{x}{2}-\dfrac{y}{3}=-2 \\ x-3y=-60 \end{cases}$ 의 해가 $ax-y=0$을 만족할 때, 그 해와 a의 값을 고르면?	ㅠ	ㅅ	ㅈ	ㅌ	ㅏ	ㅑ
	$(0,20)$	$(12,-24)$	$(12,24)$	$a=-2$	$a=2$	$a=1$

$\begin{cases} 0.1x+0.4y=2 \\ \dfrac{x+2}{4}-\dfrac{y}{6}=-\dfrac{1}{3} \end{cases}$ 의 해를 구하고, 이 해를 만족시키는 일차방정식을 고르면?	ㅜ	ㅇ	ㅛ	ㄴ
	$(8,3)$	$(0,5)$	$y=5x+5$	$3x-8y=0$

노래의 제목은?	(힌트)3126547

<Memo>

38. 연립일차방정식2

연립일차방정식의 해가 하나(한 쌍)인 것을 모두 고르면?	ㅏ	ㅇ	ㅣ	ㅓ	조합글자
	$\begin{cases} x+2y=1 \\ 3x+6y=7 \end{cases}$	$\begin{cases} x+2y=1 \\ 3x-6y=7 \end{cases}$	$\begin{cases} x-4y=1 \\ 2x+5y=7 \end{cases}$	$\begin{cases} x+2y=1 \\ 3x+6y=3 \end{cases}$	
다음 연립일차방정식 중, 해가 <u>없는</u> 것을 모두 고르면?	ㅎ	ㅣ	ㅡ	ㅜ	
	$\begin{cases} x+2y=1 \\ 3x+6y=7 \end{cases}$	$\begin{cases} x+2y=1 \\ 3x-4y=7 \end{cases}$	$\begin{cases} x-2y=1 \\ 2x-4y=2 \end{cases}$	$\begin{cases} 3x-4y=1 \\ 2x-\dfrac{8}{3}y=7 \end{cases}$	
다음 연립일차방정식 중, 해가 무수히 많은 것을 모두 고르면?	ㄲ	ㄴ	ㅜ	ㅁ	
	$\begin{cases} x+2y=-1 \\ 3x+6y=-3 \end{cases}$	$\begin{cases} 3x+y=5 \\ x-y=1 \end{cases}$	$\begin{cases} 3x-2y=1 \\ 6x-4y=2 \end{cases}$	$\begin{cases} 3x+y=5 \\ x+\dfrac{1}{3}y=\dfrac{5}{3} \end{cases}$	
연립방정식 $\begin{cases} 2x+5y=4 \\ ax+by=c \end{cases}$의 해가 존재하기 위한 (a,b,c)의 순서쌍을 모두 고르면?	ㄹ	ㅇ	ㅠ	ㅏ	
	$(4,10,8)$	$(4,10,2)$	$(-4,-10,7)$	$(1,3,2)$	
$\begin{cases} 0.\dot{3}x-2y=2 \\ 0.\dot{2}x-3y=1 \end{cases}$의 해를 구하고 그 해를 만족하는 방정식을 모두 고르면?	ㅇ	ㅠ	ㅏ	ㄹ	
	$\left(\dfrac{36}{5},\dfrac{1}{5}\right)$	$\left(3,-\dfrac{1}{2}\right)$	$\left(5,\dfrac{1}{3}\right)$	$\left(\dfrac{9}{2},0\right)$	
	ㅜ	ㅡ	ㄷ	ㅣ	
	$3x=-18y$	$x-36y=0$	$y-\dfrac{1}{3}=x-5$	$y=\dfrac{1}{36}x$	
노래의 제목은?	(힌트)24153				

39. 연립일차방정식의 활용

① 두 자리의 자연수가 있다. 이 수는 각 자리 숫자의 합의 4배이고, 십의 자리의 숫자와 일의 자리의 숫자를 바꾼 수는 처음 수보다 36이 크다고 한다. 처음 수와 그 수의 소인수들의 합을 고르면?

② 어떤 일을 마무리하는데 A, B가 함께 5시간 일한 뒤 B만 3시간 더 일하든지 A, B가 함께 2시간 일한 뒤 A만 6시간 더 일하면 된다고 한다. A와 B가 혼자 각각 이 일을 처리하는 데 걸리는 시간과 A, B 모두 처음부터 일을 동시에 시작할 때, 일을 처리하는데 걸리는 시간을 모두 고르면?

③ 둘레의 길이가 $3km$인 연못이 있다. 같은 지점에서 A, B 두 사람이 반대 방향으로 출발하면 20분 후에 만나고, 같은 방향으로 출발하면 50분 후에 A가 B를 따라잡는다. 두 사람의 속력이 각각 분속 몇 m인지 고르면?

④ A, B 두 상품을 합하여 50000원에 사서 A상품은 원가에 15% 이익을 붙이고 B상품은 20% 이익을 붙여 팔았더니 8000원의 이익이 생겼다고 할 때, A, B 두 상품의 원가를 각각 고르면?

⑤ 사진 동아리의 회원 수는 작년에 200명이었는데, 올해는 남학생이 30%감소하고 여학생이 20%증가하여 작년보다 5명이 줄었다고 한다. 올해의 사진 동아리의 남자 및 여자 회원 수를 각각 구하고, 이들의 차를 고르면?

⑥ A는 구리를 60%, 주석을 40% 포함한 합금이고, B는 구리를 40%, 주석을 60% 포함한 합금이다. 이 두 종류의 합금을 녹여서 구리를 $3kg$, 주석을 $4kg$ 얻기 위해 A, B가 각각 몇 kg이 필요한지 고르면?

		ㅏ	ㅅ	ㄹ	ㅇ	ㄷ	―	조합글자
①		36	48	84	63	10	5	
		ㅜ	ㅋ	ㅅ	ㅓ	ㅁ	ㅠ	
②		4	6	8	9	18	24	
		ㅎ	ㅜ	ㅌ	ㄴ	ㅔ	―	
③		35	40	45	70	80	105	
		ㄷ	ㅔ	ㅇ	ㅑ	ㄴ	―	
④		10000	15000	20000	30000	35000	40000	
		ㅁ	ㅣ	ㅇ	ㅠ	ㅏ	ㄹ	
⑤		59	63	64	66	130	132	
		ㄹ	ㅅ	ㅈ	ㅌ	ㅏ	ㅜ	
⑥		1	2	3	4	5	6	
노래의 제목은?	(힌트)451236							

40. 일차함수와 그래프1

	ㅇ	ㅏ	ㄹ	조합글자
다음 중, 일차함수를 모두 고르면?	$xy=-10$	$y=2x$	$x+2y=6$	
	ㅋ	ㅡ	ㄴ	
	$y=x^2-8$	$y=\dfrac{1}{x}$	$x+y-1=0$	

다음 중, 일차함수 $y=3x-7$을 평행이동하여 겹쳐질 수 있는 것을 모두 고르면?	ㅔ	ㅅ	ㅜ	ㅁ	ㄴ
	$y=\dfrac{1}{3}x$	$y=3x$	$3x-y=0$	$y=-3x$	$y=3x+1$

다음 중, 일차함수의 기울기가 양수인 것을 모두 고르면?	ㄷ	ㅌ	ㄴ	ㅔ	ㅡ
	$y=x$	$y=-\dfrac{1}{2}x$	$y=\dfrac{4}{3}x$	$y=-x+1$	$y-2x=3$

다음 중, 일차함수의 기울기와 y절편의 곱이 음수인 것을 모두 고르면?	ㄷ	ㅇ	ㅡ	ㄴ	ㅏ
	$y=-x+\dfrac{1}{2}$	$y=4x$	$y=x-1$	$y=3x-1$	$x+y=0$

일차함수 $y=3x-5$의 x절편, y절편, 기울기를 모두 고르면?	ㅣ	ㄱ	ㅇ	ㄴ	ㅏ	ㄹ
	5	-5	$-\dfrac{5}{3}$	$\dfrac{5}{3}$	3	$\dfrac{15}{2}$

x절편이 5이고 y절편이 -1인 일차함수의 식을 구하고 x축, y축으로 둘러싸인 도형의 넓이를 고르면?	ㅁ	ㅈ	ㅣ	ㅗ	ㅜ
	$y=\dfrac{1}{5}x-1$	$y=x-5$	$5y=5x-1$	$\dfrac{5}{2}$	5

$y=-\dfrac{1}{2}x+\dfrac{5}{4}$에 대해 x절편을 a, y절편을 b라 할 때, $ab, \dfrac{a}{b}$의 값을 모두 고르면?	ㅜ	ㄴ	ㅗ	ㅁ	ㄹ	ㅏ
	$\dfrac{1}{2}$	$\dfrac{8}{25}$	2	$\dfrac{25}{8}$	$\dfrac{5}{8}$	$\dfrac{8}{5}$

노래의 제목은?	(힌트)6317425

<Memo>

41. 일차함수와 그래프2

두 일차함수 $y=4x+8$, $y=ax+8$의 그래프와 x축으로 둘러싸인 도형의 넓이가 12일 때, a의 값을 고르면?	ㅁ	ㅇ	ㅗ	ㄷ	ㅣ	ㅠ	조합글자
	-12	-8	-3	-1	1	$\dfrac{8}{5}$	

$f(x)=-2x+3$에 대해 $f(a)=-a$, $f(b)=b$를 만족하는 a,b의 값을 고르면?	ㅣ	ㅅ	ㄹ	ㅜ	ㅁ	ㄴ
	1	-3	2	-2	3	-1

일차함수 $y=ax+b$에 대해 옳은 것을 모두 고르면? (단, a,b는 수)	ㄴ	ㅔ	ㅏ
	항상 원점을 지난다	$a>0$이면 제2,4사분면을 지난다	$b<0$이면 제3,4사분면을 지난다
	ㅇ	ㅊ	—
	$a>0$이면 우상향 그래프이다	$ab>0$이면 기울기가 양수이다	$b=-a$이면 $(0,1)$을 지난다

직선 $y=ax-3a-2$가 a의 값에 관계없이 항상 지나는 점을 찾고, 위 직선이 일차함수가 되기 위한 조건을 고르면?	ㅂ	ㅠ	ㅍ	ㅣ	ㅏ
	$(3,-2)$	$(3,2)$	$(-3,2)$	$a\neq 0$	$a\neq 3$

$(-1,2),(2,5),(a,b)$가 한 직선 위에 있기 위한 순서쌍 (a,b)를 모두 고르면?	ㅁ	ㄱ	ㅇ	ㅜ	ㅣ	ㄹ
	$(5,6)$	$(0,1)$	$(0,3)$	$(-4,-1)$	$(3,6)$	$(7,10)$

x절편이 4이고 y절편이 -3인 일차함수의 그래프에 대해 옳은 것을 모두 고르면?	ㄴ	ㅇ	ㅜ
	$y=-\dfrac{3}{4}x-3$이다	$y=\dfrac{3}{4}x-3$이다	일차함수의 기울기는 음수이다
	ㅣ	ㅅ	ㅠ
	제2사분면을 지나지 않는다	x축, y축으로 둘러싸인 도형의 넓이는 6이다	y축 방향으로 4만큼 이동하면 원점을 지난다

노래의 제목은?	(힌트)354261

<Memo>

① 두 일차함수 $y = ax + b$, $y = cx + d$의 그래프가 다음과 같을 때, 다음 중 옳은 것을 모두 고르면?

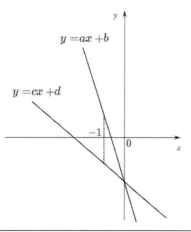

② 그림과 같은 일차함수에 대해 $m + n$의 값과 일차함수의 기울기를 고르면?

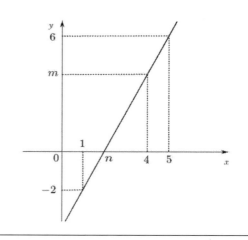

③ 좌표평면 위의 네 점 $A(3, 5)$, $B(1, 1)$, $C(5, 2)$, $D(a, b)$에 대해 사각형 $ABCD$가 평행사변형일 때, $a + b$의 값과 직선 BD의 일차함수 식을 고르면?

④ 두 일차함수 $y = ax + 5$, $y = -\dfrac{1}{3}x + 1$의 교점이 $x = -3$위에 있을 때, 상수 a의 값을 구하고 두 일차함수 및 y축으로 둘러싸인 삼각형의 넓이를 고르면?

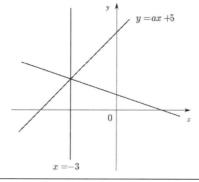

⑤ 일차방정식 $ax + y + c = 0$의 그래프가 다음과 같을 때, 옳은 것을 모두 고르면?

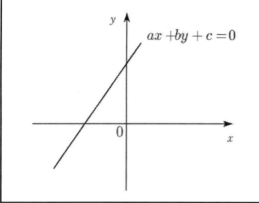

⑥ 직선의 방정식 $ax + by + 2 = 0$의 그래프가 x축에 수직이고, 제1사분면과 제4사분면만을 지날 때, 다음 중 옳은 것을 모두 고르면?

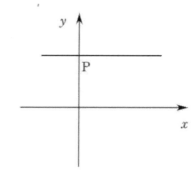

	ㅏ	ㅗ	ㅁ	ㅇ	ㅡ	조합글자
①	$c<d$	$b=d$	$b>a$	$b>c$	$a>c$	
	ㄹ	ㅜ	ㄷ	ㅡ	ㅁ	ㅇ
②	1	2	3	4	5	6
	ㅎ	ㅡ	ㅅ	ㄴ	ㅔ	
③	12	13	$y=\dfrac{5}{6}x+\dfrac{1}{6}$	$y=\dfrac{5}{6}x-\dfrac{1}{6}$	$y=-2x+11$	
	ㅍ	ㅇ	ㅏ	ㅑ	ㄴ	ㅡ
④	1	2	6	8	9	12
	ㅁ	ㅇ	ㅅ	ㅡ	ㄹ	
⑤	$a+c>0$	$a>0$	$c<0$	$ac>0$	$\dfrac{c}{a}<0$	
	ㄹ	ㅋ	ㅡ	ㅌ	ㅏ	ㅜ
⑥	$ab<0$	$a<0$	$b=0$	$b<0$	$\dfrac{a}{b}>0$	$a=0$
프로그램과 노래의 제목은?	(힌트)324516					

43. 일차함수와 일차방정식의 관계/그래프 해석

$y=f(x)$인 직선에 대해 $\dfrac{f(x)-f(a)}{x-a}=2$일 때, 옳은 것을 모두 고르면?(단, a는 수)	ㅗ	ㅁ	ㅈ		ㄴ		조합글자
	$y=f(x)$의 기울기는 2이다	$y=f(x)$의 y절편은 2이다	$y=f(x)$는 x가 증가하면 y도 증가한다.		$y=f(x)$는 우상향 그래프이다		
세 점 $A(0,7)$, $B(4,3)$ $P(k,0)$에 대해 $\overline{AP}+\overline{BP}$의 길이가 가장 짧을 때, k값과 직선 AP의 기울기를 고르면?	ㄹ	ㅅ	ㅠ	—	ㅓ	ㄷ	
	$\dfrac{14}{5}$	3	$\dfrac{5}{2}$	-3	$-\dfrac{5}{2}$	-2	
x축, y축에 각각 수직인 직선의 방정식을 모두 고르면?	ㅎ	—	ㅅ	ㅠ	ㅐ		
	$y=\dfrac{2}{x}$	$y=x$	$x=-1$	$y=7$	$y=x^2$		
다음 중, 같은 직선을 짝지어 고르면?	ㅇ	ㅑ	ㅣ	ㅎ			
	$3x-y+4=0$	$y=3x-4$	$y=3x+4$	$y=-3x+4$			
$\begin{cases}2x-y+5=0\\ax-3y+c=0\end{cases}$의 해가 없거나 무수히 많을 조건을 모두 고르면?	ㅋ	ㅇ	ㅐ	—	ㄹ		
	$a=6$ $c=15$	$a=-6$ $c=15$	$a=6$ $c=8$	$a=-6$ $c=-15$	$a=2$ $c=5$		
$\begin{cases}x+y=-1\\ax-3y=6\end{cases}$의 해가 없을 때, a의 값과 두 직선 및 x축, y축으로 둘러싸인 사각형의 넓이를 고르면?	ㄹ	ㅇ	—	ㅌ	ㅑ	ㅜ	
	1	$\dfrac{7}{2}$	$\dfrac{3}{2}$	-3	-2	2	
$y=-2x+6$과 x축, y축으로 둘러싸인 도형의 넓이를 구하고, 직선 $y=ax$가 그 도형의 넓이를 이등분한다고 할 때 수 a의 값을 고르면?	—	ㅊ	ㅍ	ㄷ	ㅐ	ㅣ	
	3	18	9	$\dfrac{3}{2}$	2	6	
가수와 노래의 제목은?	(힌트)1547236						

<Memo>

44. 삼각형의 성질 1

문제의 밑줄 친 칸에 들어갈 말로 적절한 것을 모두 고르면?					
$\overline{AB} = \overline{AC}$ 인 삼각형 ABC 는 _____이다. (단, D는 점 A에서 내린 수선의 발)	ㅗ	ㅇ	ㅠ	ㄴ	조합글자
	$\angle A = \angle B$	$\angle B = \angle C$	$\overline{BD} = \overline{CD}$	$\overline{AB} = \overline{BC}$	
꼭지각이 $60°$인 삼각형 ABC에 대한 설명으로 옳은 것을 모두 고르면?	ㅇ	ㅜ	ㅓ	ㅣ	ㄴ	
	정삼각형 이다	이등변 삼각형이다	$\overline{AB} = \overline{AC}$ 이다	둔각 삼각형이다	$\angle A = \angle C$ 이다	
$\angle B = \angle C$인 삼각형 ABC 는 _____이다.	ㅋ	ㅊ	ㄷ	ㅣ	―	
	정삼각형 이다	이등변 삼각형이다	$\overline{AC} = \overline{BC}$	$\overline{AB} = \overline{AC}$	둔각 삼각형이다	
삼각형의 외심은 _____이다.	ㅌ		ㅏ		ㅜ	
	내접원의 중심이다		외접원의 중심이다		세 내각의 이등분선의 교점이다	
	ㅂ		ㅎ		―	
	세 변의 수직이등분선의 교점이다		외심으로부터 세 꼭짓점까지의 거리는 같다		외심으로부터 세 변까지의 거리는 같다	
삼각형의 내심은 _____이다.	ㅎ		ㅐ		ㅣ	
	내접원의 중심이다		외접원의 중심이다		세 내각의 이등분선의 교점이다	
	ㄹ		ㅠ		ㅂ	
	세 변의 수직이등분선의 교점이다		내심으로부터 세 꼭짓점까지의 거리는 같다		내심으로부터 세 변까지의 거리는 같다	
노래의 제목은?	(힌트)54132				

<Memo>

① 아래의 두 삼각형에 대해 옳은 것을 모두 고르면?

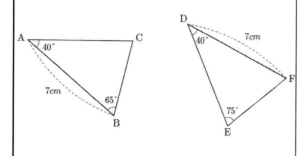

② △ABC, △DEF에서 $\overline{AB} = \overline{DE}$, $\overline{BC} = \overline{EF}$ 일 때, △ABC ≡ △DEF 이 되기 위해 더 필요한 조건을 고르면?

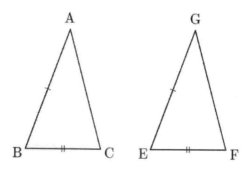

③ $l /\!/ m$ 이고, 점 O 는 $\overline{AC}$ 의 중점이다. 다음 중 옳은 것을 모두 고르면?

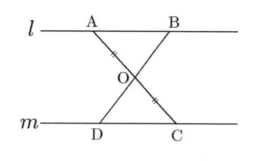

④ ABD, ACE 는 정삼각형이다. 아래의 그림에서 두 둔각 삼각형의 합동조건을 찾고, $\angle EPC$ 의 값을 고르면?

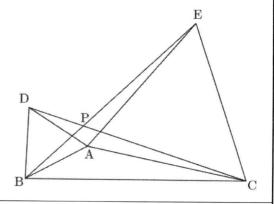

⑤ 아래의 그림에 적용 가능한 합동조건을 모두 찾으면?

⑥ 삼각형 DAE 와 삼각형 DEC 및 사다리꼴 $ABCD$ 의 넓이를 각각 고르면?

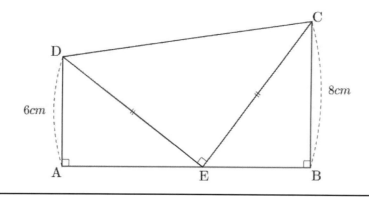

	ㄴ	ㅡ	ㅕ	조합글자
①	$\triangle ABC \equiv \triangle DFE$	$\triangle ABC \equiv \triangle DEF$	$\triangle ABC = \triangle DEF$	
	ㅍ	ㅎ	ㅠ	
	$\overline{AC} = 7cm$	ASA 합동이다	SAS 합동이다	

	ㄷ	ㅎ	ㅇ	
②	$\overline{AC} = \overline{DE}$	$\angle B = \angle E$	$\angle C = \angle F$	
	ㅠ	ㅗ	ㅏ	
	$\angle A = \angle D$	$\angle B = \angle F$	$\overline{AC} = \overline{DF}$	

	ㄷ	ㄴ	ㄹ	
③	$\triangle OAB \equiv \triangle OCD$	$\triangle OAB \equiv \triangle ODC$	$\triangle OAB = \triangle ODC$	
	ㅡ	ㅠ	ㅗ	
	$\angle OAB = \angle OBA$	$\angle AOB = 90°$	$\overline{AB} = \overline{DC}$	

	ㄴ	ㅇ	ㅡ	
④	SSS 합동	SAS 합동	ASA 합동	
	ㄹ	ㅜ	ㅑ	
	$55°$	$60°$	$65°$	

	ㅇ	ㅅ	ㅑ	ㅣ
⑤	ASA 합동	SAS 합동	SSS 합동	RHA 합동

	ㄹ	ㄷ	ㅡ	ㅌ	ㅕ	ㅇ
⑥ (단위: cm^2)	20	24	36	48	50	98

가수와 노래의 제목은?	(힌트)214365

삼각형의 내부에 외심과 내심이 항상 존재하는 삼각형을 모두 고르면?	ㅍ 예각삼각형	ㅗ 이등변 삼각형	ㄷ 둔각삼각형	ㅡ 정삼각형	조합글자
_____에서 _____에 이르는 거리는 같다 (밑줄 친 부분에 알맞은 말 고르기)	ㄷ 외심	ㅣ 선분의 수직이등분선 위의 한 점	ㅎ 세 변	ㅇ 그 선분의 양 끝점	
_____에서 같은 거리에 있는 점은 _____ 위에 있다. (밑줄 친 부분에 알맞은 말 고르기)	ㅅ 선분의 양 끝점	ㅡ 그 선분의 수직이등분선	ㄴ 내심	ㅑ 세 꼭짓점	
원의 ____은 접점을 지나는 ____에 수직이다. (밑줄 친 부분에 알맞은 말 고르기)	ㄴ 현	ㄹ 접선	ㅏ 반지름	ㅡ 할선	
원 밖의 한 점에서 원에 그을 수 있는 접선의 개수와, 그 두 접선의 길이가 같음을 보일 때 적용 가능한 합동조건을 고르면?	ㅅ 1개	ㅌ 2개	ㅐ RHS 합동	ㅣ SSS 합동	
다음 중, 내심과 외심이 일치하는 삼각형을 모두 고르면?	ㄱ 꼭지각이 60°인 이등변삼각형	ㅡ 정삼각형	ㅓ 예각삼각형	ㅇ 둔각삼각형	
노래의 제목은?	(힌트)142356				

<Memo>

① 점 O는 삼각형 ABC의 외심이다. $\angle BOC = 140°$일 때, 각 a, b, c의 값으로 옳은 것을 모두 고르면?

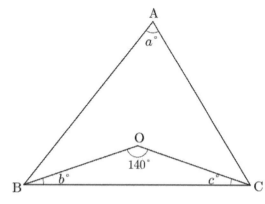

② 점 I는 삼각형 ABC의 내심이다. $\angle BIC = 125°$, $\angle IBC = 20°$일 때, 각 a의 값과 삼각형 ABC에 대한 설명으로 옳은 것을 고르면?

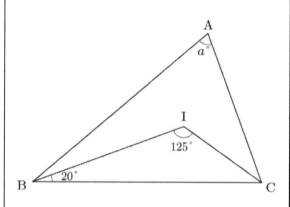

③ $\overline{CE} \perp \overline{AB}$, $\overline{BF} \perp \overline{CA}$, $\overline{ED} \perp \overline{BC}$이고, $\overline{BD} = \overline{DC}$이다. $\angle EDF = \angle FDC$일 때, $\angle DEF$, $\angle FCD$, $\angle DCE$의 값을 각각 고르면?

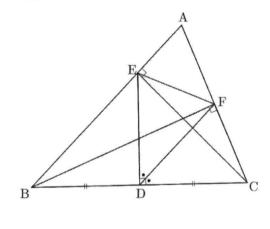

④ 삼각형 ABC의 외각의 이등분선의 교점을 O라 하자. $\triangle ABC$의 둘레의 길이와 $\angle AOC$의 값을 구하고, $\triangle BED$에 대한 설명으로 옳은 것을 모두 고르면?

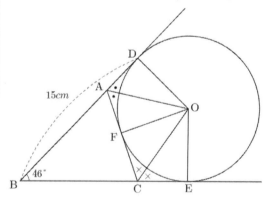

	ㄴ	ㄹ	ㅣ	ㅡ	ㅕ	조합글자
①	$a=100$	$a=70$	$b=20$	$b=25$	$c=30$	

	ㄴ	ㄷ	ㅜ	ㅏ	ㅇ	
②	$a=70$	$a=80$	$a=\dfrac{125}{2}$	이등변 삼각형	둔각 삼각형	

	ㄷ	ㅛ	ㅣ	
③	$\angle DEF=60°$	$\angle FCD=60°$	$\angle DCE=45°$	
	ㅅ	ㅇ	ㅜ	
	$\angle DEF=\dfrac{135}{2}$	$\angle FCD=\dfrac{135}{2}$	$\angle DCE=50°$	

	ㄴ	ㅇ	ㅛ	
④	$30cm$	$26cm$	이등변삼각형	
	ㄹ	ㅜ	ㅑ	
	$\angle AOC=67°$	$\angle AOC=70°$	둔각삼각형	

노래의 제목은?	(힌트)4123

<Memo>

① 직각삼각형 ABC에 대해 $\angle ECF = \angle DCF$ 이다. $\overline{AC} = b$, $\overline{BC} = a$, $\overline{AB} = c$라 할 때, a, b, c 사이의 관계식 및 x의 값을 구하고, $\triangle BFC$와 $\triangle EFC$의 넓이비를 고르면?

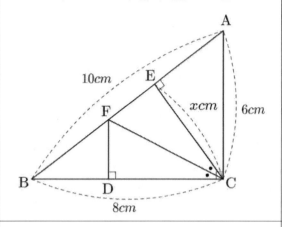

② 직각삼각형 ABC에 대해 D를 $\overline{AC}$의 중점이라 하자. $\angle ABD = 36°$일 때 $\triangle ABC$의 외접원의 넓이를 구하고, $\angle BDC$의 값을 고르면?

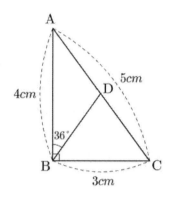

③ 삼각형 ABC의 외심과 내심을 각각 O, I라 하자. $\angle BAO = 40°$일 때, 각 a, b, c의 값으로 옳은 것을 모두 고르면?

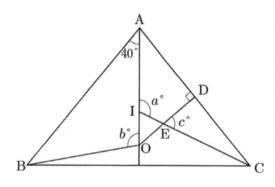

④ 점 I는 삼각형 ABC의 내심, $\angle BIC = 134°$, $\overline{AB} = \overline{AC}$이고 $\triangle ABC$의 둘레가 $24cm$, 넓이가 $36cm^2$이라 할 때, a의 값과 $\overline{AB}$의 길이 및 내접원의 반지름의 길이를 고르면?

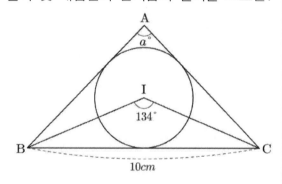

⑤ 직각삼각형 ABC의 내접원의 반지름을 r이라 할 때, r을 a, b, c를 이용하여 나타내고 $\angle BAC = 52°$일 때, 각 x, y의 값을 올바르게 구한 것을 고르면?

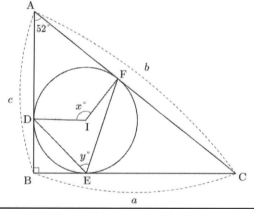

①	ㅂ	ㅡ	ㄷ	조합글자
	$a^2+b^2=c^2$	$x=\dfrac{22}{5}$	$3:2$	
	ㅎ	ㅐ	ㄱ	
	$a^2+b^2>c^2$	$x=\dfrac{24}{5}$	$5:3$	

②	ㄹ	ㅎ	ㄷ	ㅖ	ㅏ
	$54\,^\circ$	$72\,^\circ$	$76\,^\circ$	$6.25\pi\,cm^2$	$9\pi\,cm^2$

③	ㄷ	ㅗ	ㅣ
	$a=110$	$b=105$	$c=60$
	ㄱ	ㅗ	ㅑ
	$a=115$	$b=100$	$c=70$

④	ㄹ	ㄴ	ㅏ
	$a=67$	$\overline{AB}=6cm$	$2cm$
	ㄱ	ㅇ	ㅕ
	$a=88$	$\overline{AB}=7cm$	$3cm$

⑤	ㅂ	ㄷ	ㅏ
	$r=\dfrac{a+c-b}{2}$	$r=\dfrac{a+b-c}{2}$	$x=128$
	ㄱ	ㅡ	ㅜ
	$y=64$	$x=116$	$y=58$

가수와 노래의 제목은?	(힌트)52431

① $\overline{AB}=\overline{AC}$인 직각이등변삼각형 ABC의 꼭짓점 A를 지나는 직선 l을 긋고, 꼭짓점 B, C에서 직선 l에 내린 수선의 발이 각각 D, E이다. $\overline{BD}=7cm$, $\overline{CE}=3cm$일 때, $\overline{DE}$의 길이와 $\triangle ADB$의 넓이를 고르면?

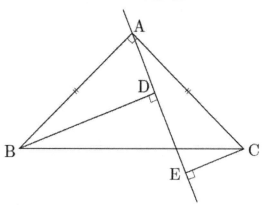

② 점 O는 $\triangle ABC$의 외심이고, 점 O'은 $\triangle AOC$의 외심이다. $\angle ABC=40°$일 때, $\angle OO'C$와 $\angle ACO'$의 값을 고르면?

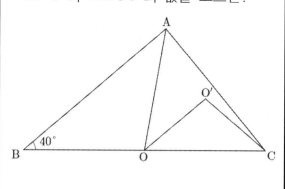

③ 점 I가 $\triangle ABC$의 내심, $\angle IAC=30°$, $\angle ICB=20°$일 때, 다음 보기 중, 주어진 도형에서 나타날 수 없는 각을 모두 고르면?(단, $\angle IAC$, $\angle ICB$는 제외)

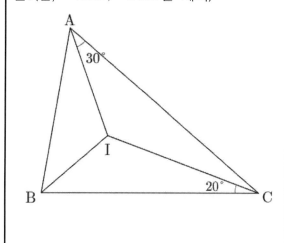

④ 점 I는 $\triangle ABC$의 내심, F, G는 각각 $\overline{AB}$, $\overline{AC}$의 연장선 위의 점이다. $\angle B$, $\angle C$의 외각의 이등분선의 교점이 E이고 $\overline{BI}$의 연장선과 $\overline{EC}$의 연장선의 교점이 D이다. $\angle BEC=58°$일 때 $\angle A$, $\angle D$의 값을 각각 고르면?

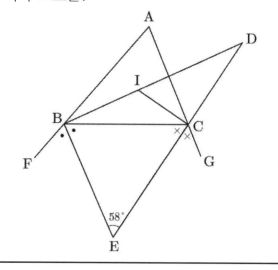

①	ㄴ	ㅈ	ㅣ	ㅜ	ㅕ	조합글자
	$3cm$	$4cm$	$7cm^2$	$\frac{21}{2}cm^2$	$14cm^2$	

②	ㄴ	ㅌ	ㅜ	ㅡ	ㅣ	
	$10°$	$15°$	$90°$	$95°$	$100°$	

③	ㄷ	ㅠ	ㅁ	ㅜ	ㄹ	ㅛ	ㅣ	
	$30°$	$40°$	$50°$	$100°$	$110°$	$120°$	$130°$	

④	ㄴ	ㅎ	ㅂ	ㅡ	ㅇ	ㅣ	ㅗ	
	$28°$	$30°$	$32°$	$40°$	$58°$	$64°$	$72°$	

가수와 노래의 제목은?	(힌트)1234

<Memo>

50. 사각형의 성질1

평행사변형에 대한 설명으로 옳은 것을 모두 고르면?	ㅋ	ㅁ	ㅡ	ㅏ	조합글자
	이웃하는 두 변의 길이가 같다	두 쌍의 대변의 길이가 각각 같다	두 대각선의 길이가 같다	두 대각선이 서로 다른 것을 이등분한다	

두 대각선이 서로 다른 것을 이등분하는 사각형을 모두 고르면?	ㄷ	ㅏ	ㄱ	ㅠ	
	등변사다리꼴	평행사변형	정사각형	사다리꼴	

두 쌍의 대각의 크기가 각각 같은 사각형을 모두 고르면?	ㅅ	ㅇ	ㅌ	ㅓ	ㅁ	
	등변 사다리꼴	평행사변형	사다리꼴	직사각형	정사각형	

□$ABCD$가 평행사변형일 때, 어떤 조건을 만족하면 마름모가 되는지 고르면? (O는 대각선의 교점)	ㄱ	ㄹ	ㅏ	ㅔ	
	$\overline{AB} = \overline{BC}$	$\overline{AO} = \overline{CO}$	$\overline{AD} = \overline{BC}$	$\overline{AC} \perp \overline{BD}$	

_____(은)는 한 쌍의 대변이 평행하고 그 길이가 같다. (밑줄 친 부분에 알맞은 사각형 고르기)	ㅣ	ㅇ	ㅔ	ㅁ	
	등변사다리꼴	평행사변형	마름모	사다리꼴	

□$ABCD$가 직사각형일 때, 옳은 것을 모두 고르면? (O는 대각선의 교점)	ㄸ	ㅡ	ㅏ	ㄹ	
	$\angle A = 90°$	$\overline{AB} = \overline{BC}$	$\overline{AC} = \overline{BD}$	$\triangle ABO \equiv \triangle CDO$	

노래의 제목은?	(힌트)312654

<Memo>

① 다음 그림에서 □ABCD와 □ACED가 각각 평행사변형이라 할 때, 옳은 것을 모두 고르면?

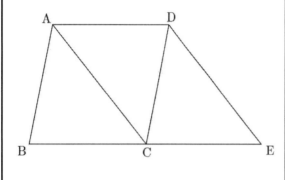

② 평행사변형 ABCD에 대해 $\overline{AB}=8cm$, $\overline{EC}=4cm$이고 ∠BAE = ∠DAE 이다. □ABCD의 둘레의 길이를 구하고, △ABE와 △AEC의 넓이의 비를 고르면?

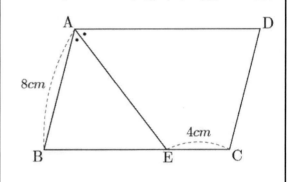

③ 평행사변형 ABCD의 두 대각선의 교점 O를 지나는 직선이 $\overline{AD}$, $\overline{BC}$와 만나는 점을 각각 P, Q 라 할 때, 옳은 것을 모두 고르면?

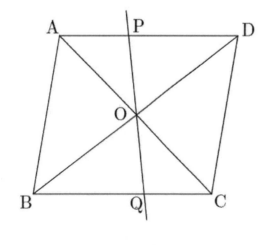

④ 평행사변형 ABCD에서 점 E는 $\overline{CD}$의 중점이다. 점 A에서 $\overline{BE}$에 내린 수선의 발을 F라 하고, ∠DAF = 70° 일 때, ∠ADF, ∠AFD, ∠DFE의 값을 모두 고르면?

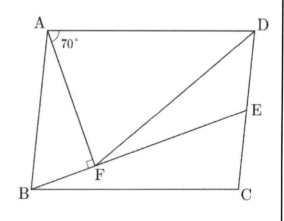

	ㅇ		ㅡ		ㄴ	조합글자
①	$\overline{AB}=\overline{AC}$		$\angle ABC=\angle DEC$		$\overline{BC}=\overline{CE}$	
	ㄴ		ㅜ		ㅑ	
	$\overline{AC}=\overline{DE}$		$\angle BCD=\angle DAB$		$\overline{AB}=\overline{BC}$	

	ㄷ	ㄹ	ㅅ	ㅗ	ㅑ
②	$30cm$	$32cm$	$40cm$	$2:1$	$4:1$

	ㅇ		ㅛ		ㅣ	
③	$\triangle AOP \equiv \triangle COQ$		$\overline{AP}=\overline{PO}$		$\overline{DP}=\overline{AB}$	
	ㄹ		ㅐ		ㄱ	
	$\triangle AOB \equiv \triangle DOC$		$\overline{PO}=\overline{QO}$		$\triangle ABO=\triangle CDO$	

	ㄴ	ㅓ	ㅂ	ㅡ	ㅊ	ㅅ	ㅗ
④	$15°$	$20°$	$25°$	$30°$	$40°$	$70°$	$80°$

가수와 노래의 제목은?	(힌트)3241

<Memo>

① 평행사변형 $ABCD$에서 $\angle B$의 이등분선과 $\overline{AD}$의 교점이 E이고 $\angle BAC = 90°$일 때, $\triangle ABE$의 넓이를 고르고, $\triangle ABE$와 $\triangle EBD$의 넓이의 비를 고르면?

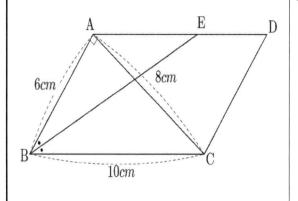

② 평행사변형 $ABCD$의 내부에 임의의 한 점 P를 잡아 평행사변형의 각 꼭짓점과 선분으로 연결하였다. $\triangle PAD = 39$, $\triangle PBC = 21$, $\triangle PCD = 27$일 때, $\triangle PAB$의와 $\triangle PBD$의 넓이를 각각 고르면?

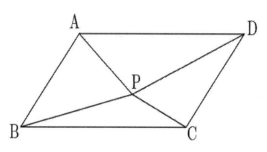

③ 평행사변형 $ABCD$에서 $\triangle ABF = 25\ cm^2$ $\triangle BCE = 21\ cm^2$일 때, $\triangle DEF$의 넓이를 구하고, $\overline{AB} : \overline{DE}$의 비를 고르면?

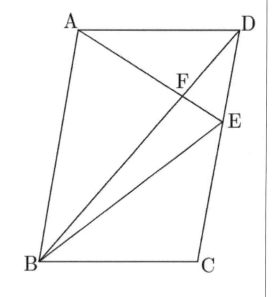

④ 평행사변형 $ABCD$에서 $\overline{AB} = 12cm$이고 점 B에서 $\angle A$의 이등분선에 내린 수선의 발을 H라 하자. $\triangle ABH$의 넓이가 $\square ABCD$의 넓이의 $\frac{1}{5}$이라 할 때, $\overline{EC}$의 길이와 $\square ABCD$의 둘레의 길이를 모두 고르면?

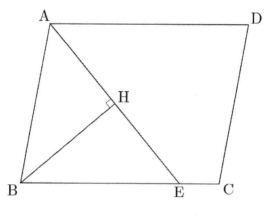

	ㄷ	ㅇ	ㅠ	ㅣ	ㅡ	ㄴ	조합글자
① (단위: cm^2)	$\dfrac{72}{5}$	24	$\dfrac{144}{5}$	3 : 2	5 : 3	4 : 3	

	ㅌ	ㄷ	ㅡ	ㅑ	ㅖ	
②	12	16	18	30	33	

	ㅇ	ㄱ	ㄹ	ㅓ	ㅗ	ㅣ	
③ (단위: cm^2)	4	6	9	5 : 2	4 : 3	6 : 5	

	ㄴ	ㅂ	ㅕ	ㅡ	ㅊ	ㅖ	
④	2.5cm	3cm	4cm	36cm	48cm	54cm	

노래의 제목은?	(힌트)2143

<Memo>

① □ABCD는 정사각형이고 △EBC는 정삼각형이다. 이 때, 주어진 도형에서 나타날 수 <u>없는</u> 각을 모두 고르면?

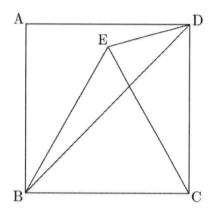

② 한 변의 길이가 6인 정사각형 ABCD에서 $\overline{AB}$위의 한 점 F를 정하고, 점 F에서 대각선 AC에 내린 수선의 발을 점 E라 하자. $\overline{DC} = \overline{CE}$일 때, 옳은 것을 모두 고르면?

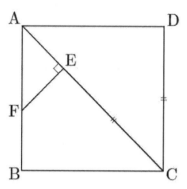

③ 직사각형 ABCD의 넓이가 60이고 △ABP = 10, △ADQ = 15라 할 때, △APQ와 △PCQ의 넓이를 모두 고르면?

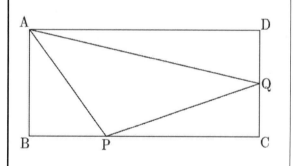

④ 등변사다리꼴 ABCD에서 두 대각선의 교점을 O라 하자. $\overline{AO} : \overline{OC} = 3 : 4$일 때, 다음 중 옳은 것을 모두 고르면?

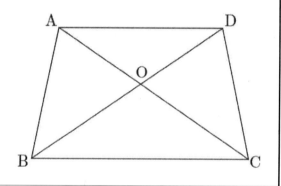

⑤ 등변사다리꼴 ABCD에서 $2\overline{CO} = 5\overline{AO}$이고 △ABC의 넓이가 $49cm^2$일 때, △ABO, △OBC 및 △AOD의 넓이를 모두 고르면?

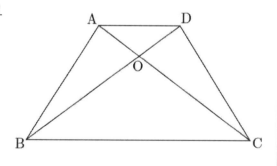

	ㄷ	ㄹ	ㅇ	ㅠ	ㅣ	ㅒ	ㄴ	조합글자
①	$15°$	$20°$	$30°$	$45°$	$75°$	$80°$	$135°$	

	ㅇ		ㅌ		ㅔ		
②	$\overline{AF}=\overline{FB}$		$\overline{AE}=\overline{FB}$		$\angle ECF=25°$		
	ㅣ		ㄹ		ㅏ		
	$\angle CEB=\dfrac{135}{2}°$		$3\overline{AF}+\overline{AE}+\overline{EF}+\overline{FB}=21$		$\angle BCF=30°$		

	ㅇ	ㅍ	ㄱ	ㅓ	ㅡ	ㅣ	
③	9	10	15	20	25	30	

	ㄴ		ㅊ		ㅔ		
④	$\angle ABC=\angle DCB$		$\angle AOB=\angle AOD$		$\overline{AB}=\overline{BC}$		
	ㅡ		ㅇ		ㅏ		
	$\triangle AOB:\triangle OBC=9:16$		$\triangle ABO\equiv\triangle DCO$		$\overline{AO}=\overline{DO}$		

	ㅇ	ㅈ	ㅠ	ㅣ	ㅜ	ㄹ	
⑤ (단위: cm^2)	5	$\dfrac{28}{5}$	12	14	21	35	

노래의 제목은?	(힌트)42315

① □$ABCD$의 꼭짓점 D에서 대각선 AC에 평행한 직선을 그어 $\overline{BC}$의 연장선과 만나는 점을 E라 하자. □$ABCD = 50\,cm^2$이고 $\overline{BC} = \overline{CE}$일 때 △$ABC$, △$ACD$의 넓이를 구하고, △$ACD$와 넓이가 같은 삼각형을 고르면?

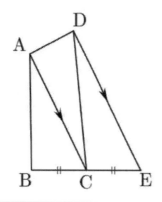

② △ABC의 넓이가 $60cm^2$이고 $\overline{BE} : \overline{EC} = 1 : 2$, $\overline{AD} : \overline{DE} = 3 : 5$일 때, △$DEC$의 넓이를 구하고, △$DEC$와 넓이가 같은 정사각형의 한 변의 길이를 고르면?

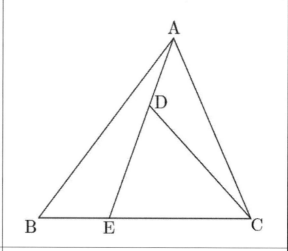

③ 평행사변형 $ABCD$에 대해 $6△ABE = 2□AECF = 3△AFD$가 되도록 $\overline{BC}$, $\overline{CD}$ 위에 각각 점 E, F를 잡았다. □$ABCD$의 넓이가 $90cm^2$일 때, △ECF와 △AEF의 넓이를 모두 고르면?

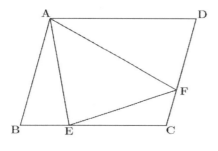

④ 평행사변형 $ABCD$에서 네 각의 이등분선의 교점을 각각 E, F, G, H라 할 때, 다음 중 옳은 것을 모두 고르면?

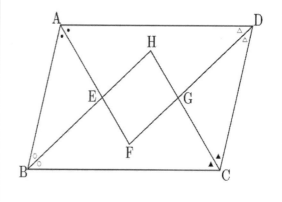

⑤ 평행사변형 $ABCD$에서 점 P는 $\overline{AP} : \overline{PE} = 2 : 3$을 만족하는 $\overline{AE}$위의 한 점이다. △$ADE = 50cm^2$이고 △$PCD = 38cm^2$일 때, △PBE와 △PEC의 넓이를 고르면?

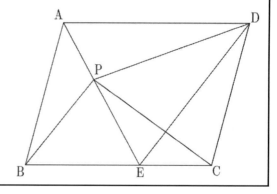

①	｜	ㄴ	ㅡ	조합글자
	$\triangle ABC = 20\,cm^2$	$\triangle ABC = 25\,cm^2$	$\triangle ACD = 25\,cm^2$	
	ㅐ	ㄴ	ㅇ	
	$\triangle ACD = 30\,cm^2$	$\triangle ACE$	$\triangle DCE$	

② (단위: cm)	ㅇ	ㅅ	ㄷ	ㅐ	｜	ㅔ	
	4	5	6	16	25	36	

③ (단위: cm^2)	ㅏ	ㅍ	ㅇ	ㅜ	ㅡ	ㄹ	
	10	15	20	25	30	35	

④	ㄴ		ㄱ		ㅔ		
	$\overline{EF} = \overline{FG}$		$\angle EHG = 90°$		$\overline{AE} = \overline{EB}$		
	ㅡ		ㅇ		ㅏ		
	$\overline{EG} = \overline{HF}$		$\overline{EG} \perp \overline{HF}$		$\angle EAB = \angle EBA$		

⑤ (단위; cm^2)	ㅁ	ㄷ	ㅎ	ㅐ	ㅕ	ㅠ	
	10	12	15	18	21	25	

노래의 제목은?	(힌트)45312

<Memo>

55. 합동(중1,중2)/닮음

	ㅋ	ㅇ	ㅏ	ㅕ	조합글자
합동인 도형을 모두 고르면?	꼭지각이 같은 두 이등변삼각형	반지름이 같은 두 원	한 변의 길이가 같은 두 마름모	한 변의 길이가 같은 두 정삼각형	
닮음의 영어표현과 기호를 고르면?	ㄹ / similar	ㅏ / congruent	ㅣ / ∽	ㅍ / ≡	
항상 닮은 도형을 모두 고르면?	ㅈ 두 원	ㅇ 두 직각삼각형	ㄹ 두 정사각형	ㅜ 두 직각 이등변삼각형 / ㅡ 두 원뿔	
항상 닮은 도형을 모두 고르면?	ㅂ 두 정사면체	ㄹ 두 직사각형	ㅗ 합동인 두 도형	ㅣ 두 직육면체	
닮음비가 2:3인 두 도형에 대해 옳은 것을 모두 고르면?	ㅇ 길이비는 2:3이다	ㅠ 넓이비는 4:6이다	ㅣ 넓이비는 4:9이다	ㄹ 부피비는 8:27이다	
닮음비가 1:3인 두 입체도형에 대해 옳은 것을 모두 고르면?	ㅊ 한 단면의 대응각의 비는 1:3이다	ㅡ 입체도형의 부피비는 1:9이다	ㅇ 한 단면의 대응변의 비는 1:3이다	ㅔ 입체도형의 부피비는 1:27이다	
AA닮음인 두 삼각형에 대해 알 수 있는 것을 모두 고르면?	ㄱ 두 삼각형의 대응변	ㄷ 닮은 도형의 닮음비	ㅔ 두 삼각형의 대응각	ㅏ 대응각의 실제 크기	
가수와 노래의 제목은?	(힌트)6524137				

\<Memo\>

56. 삼각형의 닮음조건1/닮은 도형과 닮음비1

① 두 삼각형에 대해 △ABC∽△DEF가 되기 위한 조건을 모두 고르면?

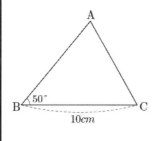

② 다음 그림에서 닮은 두 삼각형을 찾아, 닮음 기호를 이용하여 나타내고 닮음 조건을 고르면?

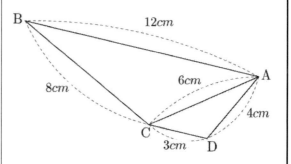

③ 다음 삼각형 중에서 서로 닮음인 것을 모두 찾고, 이 때 이용한 삼각형의 닮음 조건이 올바른 것을 모두 고르면?

(1)
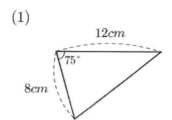

(2)
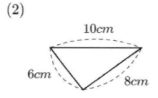

(3)
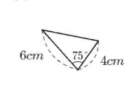

(4)
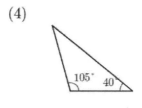

(5)
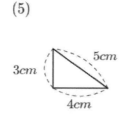

(6)
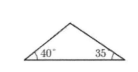

④ 그림에서 □ABCD, □AEFG가 서로 닮은 도형이라 할 때, 옳은 것을 모두 고르면?

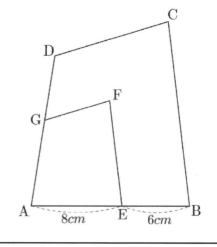

	ㅇ		ㅜ	조합글자
①	$\overline{AC}=5cm,\ \overline{DF}=3cm$		$\overline{AB}=15cm,\ \overline{DE}=9cm$	
	ㅌ		ㅏ	
	$\angle C=60°,\ \angle E=50°$		$\angle A=70°,\ \angle D=70°$	

	ㅁ	ㅣ	ㅔ	
②	$\triangle ABC\backsim\triangle CAD$			
	ㅇ	SSS닮음	AA닮음	
	$\triangle ABC\backsim\triangle ACD$			

	ㅈ	ㅔ	ㅏ	
③	$(1),(3)/AA$닮음	$(2),(5)/SSS$닮음	$(4),(6)/ASA$닮음	
	ㅌ	ㅡ	ㄹ	
	$(1),(3)/SAS$닮음	$(2),(5)/AA$닮음	$(4),(6)/AA$닮음	

	ㅅ	ㅑ	
④	□$ABCD$와 □$AEFG$의 닮음비는 $7:4$이다	□$ABCD$의 넓이가 $49cm^2$이면 □$AEFG$의 넓이는 $28cm^2$이다	
	ㄴ	ㅠ	
	$\overline{AG}:\overline{GD}=4:3$이다	$\angle ADC=\angle DCB$이다	
	ㄷ	ㅏ	
	$\overline{FE}=8cm$이면 $\overline{BC}=12cm$이다	□$ABCD$에서 □$AEFG$를 제외한 부분의 넓이가 $66cm^2$이면 □$ABCD$의 넓이는 $98cm^2$이다	

노래의 제목은?	(힌트)4132

57. 닮은 도형과 닮음비 2

① △ABC∽△DEF이고 닮음비는 2:3이다. $\overline{OA}=8cm, \overline{AC}=2cm$일 때, 다음 중 옳은 것을 모두 고르면?

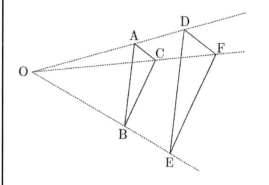

② △ABC∽△AED일 때, 다음 중 옳은 것을 모두 고르면?

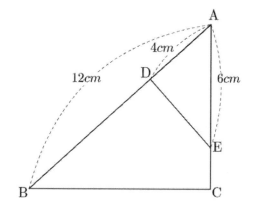

③ 정사각형 ABCD의 꼭짓점 B에서 직선을 그어 $\overline{CD}$와 만나는 점을 E라 하고, 두 꼭짓점 A, C에서 $\overline{BE}$에 내린 수선의 발을 F, G라 하자. $\overline{AF}=4, \overline{CG}=3$일 때, $\overline{BF}, \overline{FG}, \overline{GE}$의 길이를 모두 고르면?

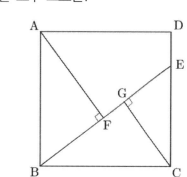

④ □ABCD를 3배 확대하여 □A′B′C′D′를 그렸을 때, 옳지 않은 것을 모두 고르면?

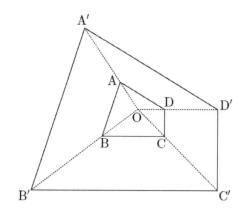

⑤ 직사각형 모양의 A4 용지를 계속해서 반으로 접어 나갈 때 생기는 사각형의 크기를 차례대로 A5, A6, A7, A8, A9, … 라고 하자. A4 용지와 A8 용지의 닮음비와 넓이비를 가장 간단한 자연수의 비로 나타낸 것을 모두 고르면?

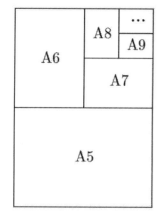

①	ㅇ	ㅌ	ㅗ		조합글자
	$\overline{AD}=4cm$	$\triangle ABC$와 $\triangle DEF$의 넓이비는 $2:3$이다	$\triangle OBA \backsim \triangle OED$		
	─	ㅜ	ㄴ		
	$\overline{FE}=9cm$	$\overline{OB}:\overline{BE}=3:2$	$\overline{OA}:\overline{OD}=2:3$		

②	ㅐ	ㅍ	ㅠ	
	$\overline{EC}=3cm$	$\triangle ABC$와 $\triangle AED$의 넓이비는 $3:1$이다	$\angle ACB=90°$	
	ㅁ	ㅏ	ㅎ	
	$\overline{DE}=4cm$이면 $\overline{BC}=8cm$이다	$\triangle ADE=18cm^2$이면 $\square DBCE=54cm^2$이다	닮음비는 $3:1$이다	

③	ㄹ	ㅇ	ㄷ	ㅔ	─	ㅜ
	2	3	$\dfrac{7}{2}$	$\dfrac{9}{4}$	$\dfrac{9}{2}$	1

④	ㄴ	ㄱ	─	
	$\overline{BC}:\overline{B'C'}=1:3$	$\overline{BC}/\!/\overline{B'C'}$	$\angle OBC=\angle OB'C'$	
	ㅣ	ㅇ	ㅏ	
	$\overline{OA}:\overline{AA'}=1:3$	$\overline{OD'}=\overline{OC'}$	$\triangle OAB \backsim \triangle OA'B'$	

⑤	ㅁ	ㅇ	ㅔ	ㅐ	ㅣ	ㅠ
	$2:1$	$4:1$	$3:2$	$9:4$	$16:1$	$4:3$

노래의 제목은?	(힌트)12435

① $\angle A = \angle BCD$, $\overline{BC} = 12$, $\overline{BD} = 8$일 때, 두 삼각형의 닮음 조건을 찾고 x의 값을 고르면?

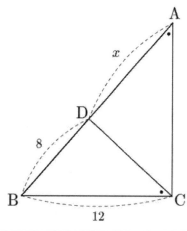

② 점 E가 $\overline{BC}$의 중점이고 $\overline{AC} /\!/ \overline{DE}$ 일 때, 두 삼각형의 닮음 조건을 찾고 $\overline{AC}$의 길이를 고르면?

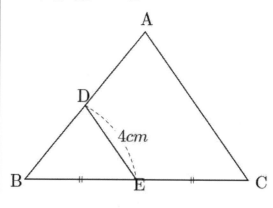

③ 다음 그림에서 x, y의 값을 구하기 위해 적용한 삼각형의 닮음 조건을 찾고, 그 때의 x, y값을 고르면?

④ 주어진 세 삼각형의 닮음비와 넓이비를 각각 고르면?

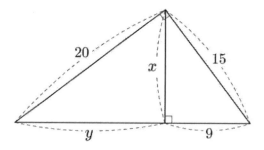

⑤ 직사각형 $ABCD$에서 꼭짓점 C가 $\overline{AD}$ 위의 C'에 오도록 접었을 때, $\overline{EC'}$, $\overline{DE}$의 길이를 구하고, $\triangle BC'E$의 넓이를 모두 고르면?

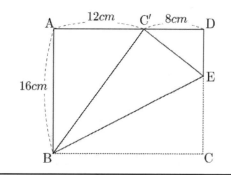

⑥ $\triangle ABC$에서 $\angle ABD = \angle BCE = \angle CAF$ 이고 $\overline{BC} = 12$, $\overline{DE} = 4$, $\overline{EF} = 8$일 때, 주어진 삼각형에 대해 닮음 조건과 닮음비를 찾고 $\overline{AB}$의 길이를 고르면?

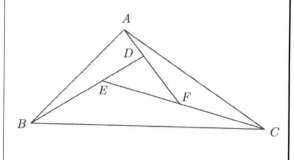

	ㅅ	ㅇ	ㅌ	ㅣ	ㅑ	ㅠ	조합글자
①	AA닮음	SAS닮음	SSS닮음	10	12	14	

	ㅠ	ㅏ	ㅗ	ㄱ	ㅍ	ㅋ	
②	$6cm$	$8cm$	$10cm$	SAS닮음	AA닮음	SSS닮음	

	ㅋ	ㅂ	ㅣ	ㅠ	ㅊ	ㅜ	
③	10	12	16	18	AA닮음	SAS닮음	

	ㄴ	ㅊ	ㅏ	ㅌ	ㄱ	ㅣ	
④	$1:2:3$	$1:4:9$	$2:3:4$	$3:4:5$	$4:9:16$	$9:16:25$	

	ㅁ	ㅗ	ㅜ	ㄲ	ㅣ	ㅠ	
⑤	$6cm$	$8cm$	$10cm$	$100cm^2$	$120cm^2$	$200cm^2$	

	ㅊ	ㅇ	ㅔ	ㅡ	ㄹ	ㄷ	
⑥	$1:2$	$2:3$	AA닮음	ASA닮음	6	8	

노래의 제목은?	(힌트)532416

① $\overline{AM}=\overline{MB}$, $\overline{MN}/\!\!/\overline{BC}$ 이고 $\overline{AC}=8$, $\overline{MN}=5$이다. $\square MBCN=z\triangle AMN$일 때, $x+y$와 z의 값을 각각 고르면?

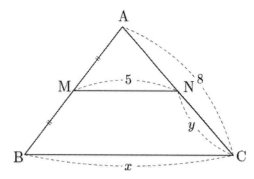

② 네 직선 k,l,m,n이 서로 평행할 때, a,b,c의 값을 모두 고르면?

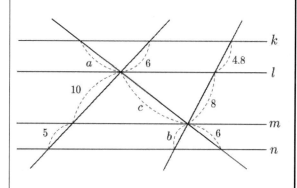

③ $\angle BAD=\angle CAD$일 때 $\overline{BD}:\overline{DC}$의 비와 $\triangle ABC:\triangle ACD$의 비를 가장 간단한 자연수의 비로 나타낸 것을 모두 고르면?

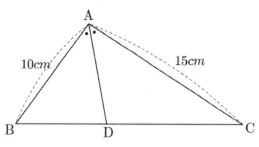

④ $\triangle ABC$에서 $\overline{AD},\overline{AE}$는 각각 $\angle A$의 내각의 이등분선, $\angle A$의 외각의 이등분선이다. $\overline{BD},\overline{DC},\overline{CE}$의 값을 모두 고르면?

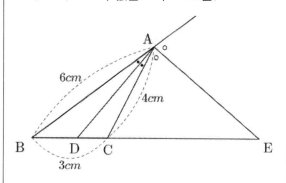

⑤ $\overline{AD}/\!\!/\overline{BC}/\!\!/\overline{EF}$인 사다리꼴 $ABCD$에서 $\overline{AD}=6cm$, $\overline{BC}=8cm$일 때, $\overline{EO},\overline{OF}$의 길이를 모두 고르면?(단, 점 O는 세 선분 AC,BD,EF의 교점)

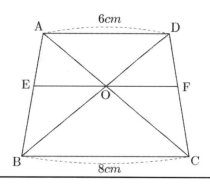

⑥ $\overline{AB}$, $\overline{PQ}$, $\overline{DC}$가 모두 $\overline{BC}$에 수직일 때, $\overline{PQ}$의 길이를 구하고, $\triangle CPQ$와 $\triangle CAB$의 넓이비를 고르면?

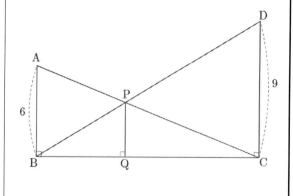

	ㅅ	ㅈ	ㅌ	ㅑ	ㅣ	ㅠ	조합글자
①	2	3	4	12	14	18	
	ㅂ	ㅠ	ㅓ	ㄱ	ㄴ	ㅋ	
②	4	6	7.2	9.6	12	15	
	ㅋ	ㅂ	ㅇ	ㅗ	ㅊ	ㅜ	
③	1:2	3:5	2:3	5:3	3:2	4:3	
	ㅓ	ㅊ	ㅏ	ㄹ	ㄱ	ㅡ	
④ (단위: cm)	$\dfrac{6}{5}$	$\dfrac{5}{4}$	$\dfrac{7}{4}$	$\dfrac{9}{5}$	6	8	
	ㅜ	ㅇ	ㅂ	ㅣ	ㅠ		
⑤ (단위: cm)	$\overline{EO}=\dfrac{10}{3}$	$\overline{EO}=\dfrac{24}{7}$	$\overline{EO}=\dfrac{7}{2}$	$\overline{OF}=\dfrac{24}{7}$	$\overline{OF}=\dfrac{10}{3}$		
	ㅁ	ㅇ	ㅔ	ㅡ	ㄹ	ㅏ	
⑥	$\dfrac{18}{5}$	4	2:3	4:9	3:5	9:25	
가수와 노래의 제목은?	(힌트)365421						

60. 삼각형의 무게중심 1

① 1) _____은 삼각형의 한 꼭짓점과 그 대변의 중점을 연결한 선분이다.

2) 삼각형의 무게중심은 삼각형의 _____의 교점이다.

3) 삼각형의 무게중심은 _____의 길이를 각 꼭짓점으로부터 _____로 나눈다.

(밑줄 친 부분에 들어갈 말로 적절한 것 고르기)

② 점 G는 $\triangle ABC$의 무게중심이고 $\overline{PR} \parallel \overline{BC}$일 때 x, y의 값을 모두 고르면?

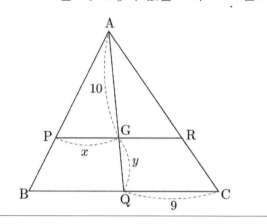

③ 점 G, G'은 각각 $\triangle ABC$와 $\triangle GCA$의 무게중심이다. $\overline{MG'} = 3$일 때, $\overline{BG}, \overline{GG'}$의 길이를 구하고 $\triangle AMG'$의 넓이가 20일 때, $\triangle ABM$의 넓이를 고르면?

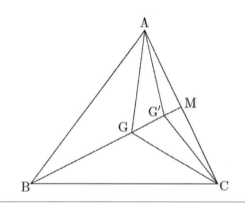

④ 점 G는 $\triangle ABC$의 무게중심이고 $\overline{GD} = \overline{DC}$이다. $\triangle AGD = 30cm^2$일 때, $\triangle ABG$와 $\triangle ADC, \triangle ABC$의 넓이를 모두 고르면?

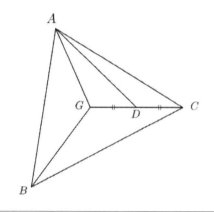

⑤ 오각형 $PECFQ$의 넓이가 $36cm^2$일 때, $\triangle APQ, \triangle AFD$및 평행사변형 $ABCD$의 넓이를 모두 고르면?

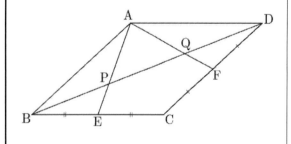

⑥ 점 G는 넓이가 96인 $\triangle ABC$의 무게중심일 때, $\triangle DEG$와 $\triangle GCE$의 넓이를 모두 고르면

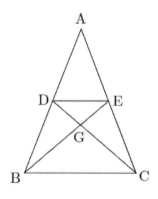

	ㅅ	ㅈ	ㅍ	ㄴ	ㅑ	ㅓ	ㅠ	조합글자
①	중선	세 내각의 이등분선	각의 이등분선	세 중선	1 : 2	2 : 1	3 : 2	

	ㅂ	ㅠ	ㅅ	ㄴ	ㅏ	ㅡ	
②	4	$\dfrac{9}{2}$	5	$\dfrac{11}{2}$	6	8	

	ㅋ	ㅇ	ㅜ	ㅊ	ㅡ	ㄱ	ㅣ	
③	$4cm$	$6cm$	$9cm$	$12cm$	$18cm$	$90cm^2$	$180cm^2$	

	ㅓ	ㅊ	ㄱ	ㅕ	ㅠ	ㄴ	
④ (단위: cm^2)	30	45	60	120	150	180	

	ㅜ	ㅍ	ㅅ	ㅇ	ㄱ	ㅣ	ㅕ	
⑤ (단위: cm^2)	16	18	24	27	72	96	108	

	ㅁ	ㅇ	ㅈ	ㅡ	ㅣ	ㅏ	
⑥	4	6	8	12	16	24	

노래의 제목은?	(힌트)243651

① 점 G는 △ABC의 무게중심이다. $\overline{AD} /\!/ \overline{EF}$이고 $\overline{GD}=5cm$일 때 $\overline{EF}$의 길이를 구하고, △ABC의 넓이가 $72cm^2$일 때, □EFDG의 넓이를 고르면?

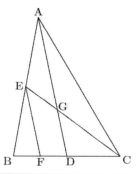

② $\angle A = 90°$인 △ABC에서 점 G는 무게중심이고 $\overline{AG}=6cm$ 때 $\overline{BC}$의 길이와 △ABC의 외접원의 넓이를 모두 고르면?

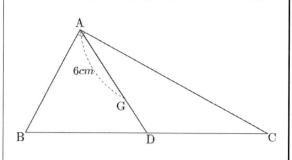

③ 점 G는 △ABC의 무게중심이고 $\overline{EF} /\!/ \overline{BC}$이다. $\overline{AD}=12cm$일 때, $\overline{FG}$의 길이를 구하고 △EFG의 넓이가 $6cm^2$일 때, △ABC의 넓이를 고르면?

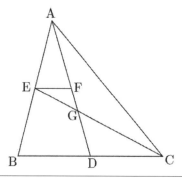

④ 원뿔의 모선을 삼등분하여 밑면에 평행하게 원뿔을 잘랐을 때 생기는 세 입체도형을 각각 A, B, C라 하자. 입체도형 B의 이름을 구하고 세 입체도형 A, B, C의 부피비를 가장 간단한 정수비로 나타낸 것을 고르면?

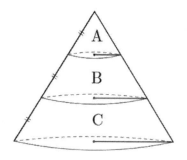

⑤ 빗변의 길이가 c이고 나머지 두 변의 길이가 a, b인 직각삼각형에 대해 _____이 성립한다. 이를 _____라 한다.

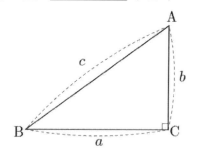

⑥ 다음 그림에서 옳은 것을 모두 고르면?

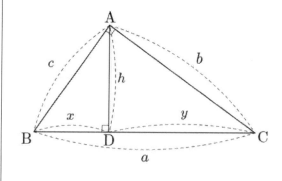

⑦ 다음 중, 피타고라스 수인 세 자연수를 차례대로 순서쌍으로 올바르게 표현한 것을 고르면?

	ㅅ	ㅈ	ㅇ	ㅜ	ㅣ	ㅑ	조합글자
①	$5cm$	$6cm$	$\dfrac{15}{2}cm$	$12cm^2$	$15cm^2$	$18cm^2$	

	ㅏ	ㅠ	ㅗ	ㄹ	ㄷ	ㄴ	
②	$12cm$	$15cm$	$18cm$	$18\pi cm^2$	$64\pi cm^2$	$81\pi cm^2$	

	ㅋ	ㅇ	ㄱ	ㅑ	ㅡ	ㅣ	
③	$2cm$	$\dfrac{5}{2}cm$	$3cm$	$108cm^2$	$144cm^2$	$156cm^2$	

	ㅗ	ㅊ	ㄱ	ㄴ	ㅠ	ㄹ	
④	원뿔대	원기둥	$1:3:5$	$1:7:19$	$1:8:27$	$1:4:9$	

	ㅇ	ㄹ	ㄴ
⑤	$a^2+b^2=c^2$	$a^2+b^2>c^2$	$a^2+b^2<c^2$
	ㅠ	ㅔ	ㅡ
	각의 이등분선 정리	피타고라스 정리	△의 중점연결정리

	ㅍ	ㅣ	ㅏ
⑥	$h^2=xy$	$cy=bh$	$b^2=xy$
	ㄴ	ㅇ	ㄱ
	$bx=cy$	$c^2=ax$	$a^2+b^2=c^2$

	ㄴ	ㄱ	ㅍ	ㅠ	ㅗ
⑦	$(6,8,10)$	$(9,12,16)$	$(2,3,4)$	$(8,15,19)$	$(7,24,25)$

가수와 노래의 제목은?	(힌트)5163472

① ∠C=90˚인 직각삼각형 ABC 및 직각삼각형 ABC와 합동인 3개의 삼각형을 이용하여 그림과 같은 정사각형 ABDE를 만들었다. $\overline{AB}=17$, $\overline{BC}=8$일 때, 다음 중 옳은 것을 모두 고르면?

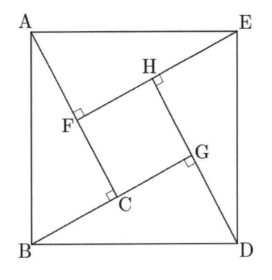

② 그림에서 세 반원은 직각삼각형의 각 변을 지름으로 한다. $\overline{AB}=14$, $\overline{AC}=10$일 때, 색칠한 부분의 넓이의 합을 구하고, $\overline{BC}^2$의 값을 고르면?

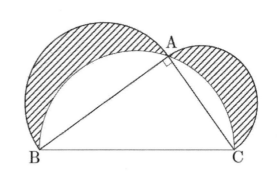

③ $\overline{AE}=10$, $\overline{DC}=12$인 직각삼각형 ABC에서 $\overline{AC}^2+\overline{DE}^2$, $\overline{AB}^2+\overline{BE}^2$, $\overline{DB}^2+\overline{BC}^2$의 값을 모두 고르면?

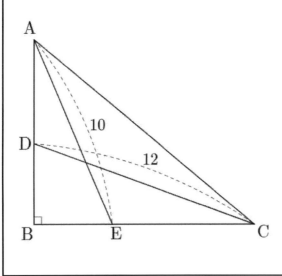

④ ∠A=90˚인 직각삼각형 ABC에서 $\overline{AB}^2+\overline{AC}^2=100$이다. $\overline{AH}\perp\overline{BC}$, $\overline{CH}=2$, $\overline{BM}=\overline{CM}$, $\overline{HQ}\perp\overline{AM}$일 때, 다음 중 옳은 것을 모두 고르면?

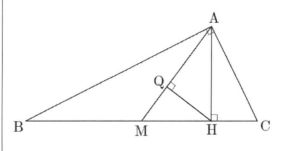

	○		｜		ㅜ		조합글자
①	$\overline{AC}=15$		$\square FCGH=81$		$\overline{FC}=7$		
	ㅍ		─				
	$\triangle ABC=60$		$\square FCGH:\square ABDE=7:17$				

	─	ㅏ	ㅊ	ㄹ	ㅑ	ㄱ	조합글자
②	35π	70	70π	74	144	296	

	ㄱ	｜	ㅋ	ㄹ	─	ㅈ	
③	60	100	120	144	200	244	

	ㅕ		ㅠ		ㄴ		
④	$\overline{AH}=\dfrac{9}{2}$		$\triangle ABC=26$		$\overline{BM}=\dfrac{11}{2}$		
	ㄷ		ㅗ		ㄹ		
	$\overline{HQ}=\dfrac{12}{5}$		$\triangle AMH=6$		$\overline{AC}^2=16$		

노래의 제목은?	(힌트)3124

<Memo>

63. 피타고라스 정리3

① ∠$A = 90°$인 직각삼각형 ABC의 변 BC를 한 변으로 하는 정사각형 $BDEC$를 그리고 점 A에서 $\overline{DE}$에 내린 수선의 발을 G, $\overline{AG}$와 $\overline{BC}$의 교점을 F라 하자. $\overline{AB} = 8$, $\overline{AC} = 6$일 때, 다음 중 옳은 것을 모두 고르면?

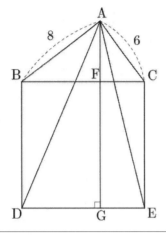

② ∠$A = 90°$인 직각삼각형 ABC에 대해 $\overline{AC} = 3$, $\overline{BC} = 5$라 할 때, $\triangle EBC$, $\triangle AJF$ 및 $\triangle CJF$ 의 넓이를 모두 고르면?

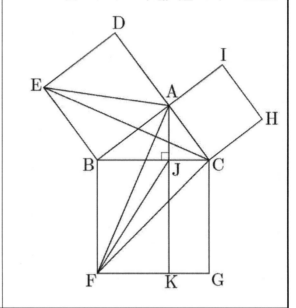

③ 직각삼각형 ABC에서 $\overline{AD}$가 ∠A의 이등분선일 때, $\overline{AB}$의 길이와 $\triangle ABC$의 넓이를 고르면?

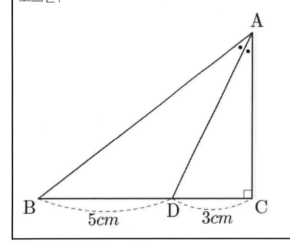

④ $\overline{CA} \perp \overline{AB}$, $\overline{DB} \perp \overline{AB}$이고 점 P는 $\overline{AB}$ 위를 움직인다. $\overline{AC} = 2$, $\overline{BD} = 3$, $\overline{AB} = 12$ 일 때, $\overline{CP} + \overline{PD}$의 최솟값을 구하고, 그 때 $\overline{DP}$의 기울기를 고르면?

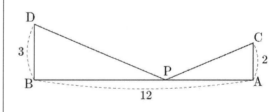

①	○					□		조합글자
	$\overline{BF}=\dfrac{32}{5}$		$\square BDGF=80$		$\overline{AF}=\dfrac{24}{5}$		
	ㅋ		ㅡ		ㅗ		
	$\overline{AG}=14$		$\triangle ACE=20$		$\triangle ABD=32$		

②	ㅡ	ㄷ	ㅐ	ㄹ	ㄴ	ㄱ
	3	$\dfrac{96}{25}$	$\dfrac{9}{2}$	$\dfrac{24}{5}$	8	12

③	ㄴ	ㅣ	ㅅ	ㅇ	ㅡ	ㅐ
	$8cm$	$9cm$	$10cm$	$20cm^2$	$24cm^2$	$40cm^2$

④	ㅕ	ㅣ	ㄷ	ㅠ	ㅋ	ㄴ
	-3	$-\dfrac{5}{12}$	-1	9	13	15

노래의 제목은?	(힌트)2314

<Memo>

- 133 -

64. 사건과 경우의 수

반복할 수 있는 실험이나 관찰을 통해 얻어지는 결과를 _____이라 하고, 사건의 가짓수를 _____라 한다.	ㅅ	ㅜ	ㅇ	ㅣ	ㅑ	조합글자
	조건	통계	사건	경우의 수	확률	
하나의 동전과 하나의 주사위를 동시에 던질 때 나오는 모든 경우의 수를 구하고, 나타날 수 있는 상황을 고르면?	ㅏ	ㅠ	ㄷ	ㅔ	ㄹ	ㄴ
	6가지	8가지	12가지	(뒤, 5)	(앞, 7)	(0, 앞)
두 개의 주사위 A, B를 동시에 던질 때 나타나는 총 경우의 수를 구하고 두 주사위의 눈의 총합이 8인 경우의 수를 고르면?	ㄱ	ㅇ	ㅋ	ㅑ	ㅡ	ㅗ
	3가지	5가지	10가지	12가지	24가지	36가지
객관식 문제가 5문제 출제되었다. 이 때, 정답을 4문제 이상 맞힐 경우의 수와 모든 문제의 정답을 맞힐 경우의 수를 고르면?	ㅏ	ㅍ	ㄹ	ㅕ	ㅡ	ㄷ
	1가지	4가지	6가지	9가지	16가지	32가지

다음 중, 경우의 수가 가장 큰 사건과 가장 작은 사건을 모두 고르면?	ㅍ		ㄴ	
	서로 다른 주사위 2개를 동시에 던지는 사건		동전 1개와 주사위 1개를 동시에 던지는 사건	
	ㅐ		ㅡ	
	서로 다른 동전 3개를 동시에 던지는 사건		서로 다른 동전 4개를 던질 때, 앞면이 3번 이상 나올 사건	

1부터 99까지의 자연수 중, 숫자 1이 한 번만 쓰인 수의 개수와, 6의 배수가 아닌 수의 개수를 각각 고르면?	ㅜ	ㄹ	ㅇ	ㅍ	ㅑ	ㅣ
	12	16	18	36	63	83

노래의 제목은?	(힌트)354126

<Memo>

65. 여러 가지 경우의 수1

0에서 5까지 각각 적힌 6장의 카드에서 2장을 뽑아 두 자리의 정수를 만들 때, 짝수, 홀수가 되는 경우의 수를 각각 구하고, 둘 중 어떤 경우의 수가 더 많은지 고르면?	ㅅ	ㅕ	ㅇ	ㅜ	ㄹ	ㅑ	조합글자
	10가지	12가지	13가지	15가지	짝수	홀수	

두 주사위 A, B를 던져 나온 눈의 수를 각각 a, b라 하자. 두 직선 $y = ax$, $y = -2x + b$의 교점의 x좌표가 1일 때, (a, b)로 옳은 것을 모두 고르면?	ㅓ	ㅠ	ㄹ	ㅂ	ㅜ	ㄴ	
	(1,3)	(2,6)	(3,5)	(4,6)	(6,4)	(3,2)	

4명 중 대표 2명을 뽑는 경우의 수와 값이 <u>다른</u> 것을 모두 고르면?	ㅁ			ㅜ			
	3명이 일렬로 서게 되는 모든 경우의 수			한 원 위의 다섯 개의 점으로 만들 수 있는 선분의 개수			
	ㄷ			—			
	동전 2개를 동시에 던질 때 나올 수 있는 모든 경우의 수			주사위 한 개를 던졌을 때 나오는 모든 경우의 수			

1,2,3이 적힌 카드가 각각 두 장씩 있다. 만들 수 있는 네 자리 정수의 개수와 20번째로 작은 수를 각각 고르면?	ㅍ	ㅅ	ㄷ	ㅣ	ㅜ	ㅠ	
	36가지	54가지	72가지	2113	2231	2331	

5개의 알파벳 모음 a, e, i, o, u를 일렬로 배열할 때, 두 모음 a, i가 양 끝에 오는 경우의 수와 그렇지 않은 경우의 수를 모두 고르면?	ㅜ	ㅆ	ㄹ	ㅍ	ㅑ	ㅓ	
	6가지	12가지	24가지	48가지	72가지	108가지	

노래의 제목은?	(힌트)25134

<Memo>

① 그림과 같이 7개의 점이 있는 반원에서 두 개의 점을 연결하여 만들 수 있는 직선과, 서로 다른 모양의 부채꼴의 개수를 각각 고르면?(단, 점 중에는 원의 중심이 있으며, 호 부분의 점 사이의 거리는 서로 같다)

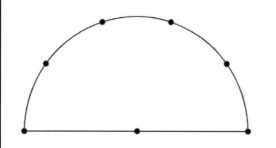

② 그림과 같이 평행한 두 직선 l, m 위에 7개의 점이 있다. 이 7개의 점 중에서 2개의 점을 선택하여 만들 수 있는 직선의 개수와, 3개의 점을 선택하여 만들 수 있는 삼각형의 개수를 각각 고르면?

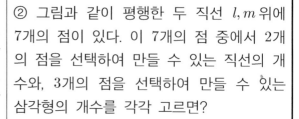

③ 여섯 명의 후보 중에서 회장 1명, 부회장 1명을 뽑는 방법의 수를 x, 대표 2명을 뽑는 방법의 수를 y, 대표 3명을 뽑는 방법의 수를 z라 할 때, x, y, z의 값을 각각 고르면?

④ 2에서 6까지 숫자가 적힌 다섯 장의 카드가 있다. 이 카드 중 세 장을 뽑아서 만들 수 있는 세 자리 정수 중 3의 배수, 4의 배수, 5의 배수의 개수를 각각 고르면?

⑤ 한 변의 길이가 1인 정사각형 12개로 이루어진 직사각형으로 만들 수 있는 모든 직사각형의 개수를 구하고, 이들 중, 넓이가 4미만인 직사각형의 개수와 넓이가 4이상인 직사각형의 개수를 각각 고르면?

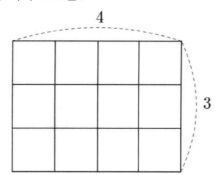

⑥ 정사각형 모양의 도로에서 A지점을 출발하여 B지점까지 가장 빠른 길을 택하여 가려고 한다. P지점을 반드시 지나서 가는 경우의 수와 그렇지 않은 경우의 수를 각각 고르면?

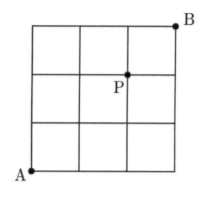

	ㅅ	ㅣ	ㅇ	ㄹ	ㅠ	ㅂ	조합글자
①	4개	5개	12개	15개	17개	19개	
	ㅠ	ㅡ	ㅗ	ㄹ	ㅈ	ㄴ	
②	12개	14개	18개	24개	30개	32개	
	ㅠ	ㅇ	ㅔ	ㅅ	ㄹ	ㅣ	
③	6가지	12가지	15가지	20가지	30가지	36가지	
	ㅓ	ㅊ	ㅅ	ㅠ	ㅣ	ㅇ	
④	8개	10개	12개	15개	18개	24개	

	ㅇ	ㅡ	ㅌ	ㅑ	ㄹ	ㅓ	ㅍ
⑤	20개	21개	39개	40개	60개	61개	79개

	ㄱ	ㅂ	ㅋ	ㅣ	ㅡ	ㅑ	
⑥	6가지	8가지	10가지	12가지	18가지	36가지	

가수와 노래의 제목은?	(힌트)152346

어떤 사건 A가 일어날 확률을 p라 할 때, p의 값으로 적당하지 않은 것을 모두 고르면?	ㅅ	ㅈ	ㅇ	ㅣ	ㄴ	ㅠ	ㅑ	조합글자
	$\dfrac{5}{7}$	$\dfrac{3}{2}$	0	3	$-\dfrac{1}{3}$	1	$\dfrac{3}{10}$	

서로 다른 2개의 주사위를 동시에 던질 때, 두 눈의 합이 5이상일 확률과 5미만일 확률을 각각 고르면?	ㅏ	ㅠ	ㄷ	ㅕ	ㄹ	ㅅ	
	$\dfrac{1}{6}$	$\dfrac{1}{3}$	$\dfrac{1}{2}$	$\dfrac{2}{5}$	$\dfrac{2}{3}$	$\dfrac{5}{6}$	

서로 다른 4개의 동전을 동시에 던질 때, 앞면이 2개 이상 나올 확률을 구하고, 적어도 앞면이 1개 이상 나올 확률을 각각 고르면?	ㄱ	ㅠ	ㅋ	ㅗ	ㅡ	ㅎ	
	$\dfrac{1}{16}$	$\dfrac{1}{4}$	$\dfrac{7}{16}$	$\dfrac{11}{16}$	$\dfrac{3}{4}$	$\dfrac{15}{16}$	

서로 다른 두 개의 주사위를 동시에 던질 때, 나온 눈의 수의 곱이 어떤 정수의 제곱이 될 확률과 그렇지 않을 확률을 각각 고르면?	ㅏ	ㄱ	ㄹ	ㅕ	ㅏ	ㄷ	
	$\dfrac{1}{6}$	$\dfrac{2}{9}$	$\dfrac{1}{3}$	$\dfrac{2}{3}$	$\dfrac{7}{9}$	$\dfrac{5}{6}$	

주사위 한 개를 두 번 던질 때, 처음 나온 눈의 수를 x, 나중에 나온 눈의 수를 y라 하자. $3x-2y<2$가 될 확률과 그 때의 순서쌍 (x,y)를 고르면?	ㅠ	ㅈ	ㅍ	ㅗ	ㅇ	ㄱ	
	$\dfrac{5}{18}$	$\dfrac{7}{18}$	$\dfrac{1}{2}$	$(3,6)$	$(5,3)$	$(2,5)$	

정답이 1개인 5지선다형 3문제를 1문제, 2문제, 3문제 맞힐 확률을 각각 고르면?	ㄱ	ㅇ	ㅁ	ㅠ	ㅣ	ㅡ	
	$\dfrac{1}{125}$	$\dfrac{1}{3}$	$\dfrac{12}{125}$	$\dfrac{2}{3}$	$\dfrac{48}{125}$	$\dfrac{4}{5}$	

세 사람이 가위바위보를 할 때 나타나는 총 경우의 수를 구하고, 승부가 날 확률과 승부가 나지 않는 확률을 각각 고르면?	ㄷ	ㅈ	ㅣ	ㅇ	ㅠ	ㄴ	
	$\dfrac{2}{9}$	$\dfrac{1}{3}$	$\dfrac{2}{3}$	$\dfrac{7}{9}$	18가지	27가지	

가수와 노래의 제목은?	(힌트)6134527

<Memo>

68. 여러 가지 확률2

두 자연수 x,y에 대해 x가 짝수일 확률이 $\frac{1}{3}$이고 y가 짝수일 확률이 $\frac{1}{5}$일 때, xy가 홀수일 확률과 짝수일 확률을 각각 고르면?	ㅂ	ㄹ	ㅏ	ㄴ	ㅡ	ㅈ	조합글자
	$\frac{1}{15}$	$\frac{1}{3}$	$\frac{7}{15}$	$\frac{8}{15}$	$\frac{3}{5}$	$\frac{14}{15}$	
두 주사위 A, B를 동시에 던질 때, 나오는 눈의 수의 합이 $3, 4, 5$의 배수일 확률을 각각 고르면?	ㅏ	ㅗ	ㄱ	ㅂ	ㅠ	ㅅ	
	$\frac{5}{36}$	$\frac{7}{36}$	$\frac{1}{4}$	$\frac{1}{3}$	$\frac{5}{18}$	$\frac{1}{2}$	
타율이 3할인 타자가 세 타석에서 1안타, 2안타, 3안타를 칠 확률을 각각 고르면?	ㅏ	ㅎ	ㅋ	ㅗ	ㄴ	ㅡ	
	0.027	0.189	0.3	0.343	0.441	0.657	
주머니 속에 검은 공 4개와 흰 공 3개가 들어 있다. 공 2개를 차례로 꺼낼 때, 흰 공이 1개, 2개, 3개일 확률을 각각 고르면? (꺼낸 공은 다시 넣지 않는다)	ㅇ	ㅎ	ㅠ	ㅐ	ㅏ	ㄷ	
	0	$\frac{1}{7}$	$\frac{1}{6}$	$\frac{4}{7}$	$\frac{2}{3}$	$\frac{5}{6}$	
세 사람이 하나의 문제를 풀 확률이 각각 $\frac{1}{2}, \frac{2}{3}, \frac{4}{5}$일 때, 세 사람이 문제를 다 맞힐 확률, 문제를 다 틀릴 확률, 정답자와 오답자가 모두 나올 확률 세 가지를 각각 고르면?	ㅡ	ㅈ	ㄹ	ㅗ	ㄹ	ㅛ	
	$\frac{1}{30}$	$\frac{1}{6}$	$\frac{4}{15}$	$\frac{1}{3}$	$\frac{7}{10}$	$\frac{5}{4}$	
노래의 제목은?	(힌트)42315						

<Memo>

69. 제곱근1

	ㅇ	ㄹ	ㄷ	ㅡ	ㅣ	조합글자
x를 a의 제곱근이라 할 때, 옳은 것을 모두 고르면?	$x^2 = a$	$a = \sqrt{x}$	$a^2 = x$	$x = \pm\sqrt{a}$	$a \geq 0$	

	ㄷ	ㅇ	ㅠ	ㅕ	ㅅ	
수 5를 나타내는 말로 올바른 것을 모두 고르면?	제곱근5	제곱근25	루트5	루트25	5의 양의 제곱근	

	ㄴ	ㅏ	ㅋ	ㅑ	ㅡ	ㅎ
다음 중, 계산 결과가 정수인 것을 모두 고르면?	$-\sqrt{16}$	$\sqrt{49}$	$\sqrt{101}$	$-\sqrt{5}$	$\sqrt{-4}$	$\sqrt{144}$

	ㄱ	ㅣ
다음 중, 옳은 것을 모두 고르면?	실수의 제곱근은 항상 2개 존재한다	$\sqrt{-49} = -7$이다
	ㅡ	ㅁ
	제곱근 $\dfrac{36}{25}$ 는 $\dfrac{6}{5}$ 이다	$(-\sqrt{5})^2$의 음의 제곱근은 $-\sqrt{5}$ 이다
	ㅠ	ㄹ
	$\sqrt{2} + \sqrt{3} = \sqrt{5}$ 이다	$\sqrt{4} + \sqrt{9} = 5$이다

	ㅡ	ㅁ	ㅗ	ㄹ
$\sqrt{81}$ 의 제곱근을 a, 3의 음의 제곱근을 b, $(-\sqrt{10})^2$의 양의 제곱근을 c라 할 때, 옳은 것을 모두 고르면?	$a = \pm\sqrt{3}$	$a = \pm 3$	$a = -\sqrt{9}$	$b = \sqrt{-3}$
	ㅏ	ㄱ	ㅠ	ㅂ
	$b = -\sqrt{3}$	$c = \sqrt{20}$	$c = 10$	$c = \sqrt{10}$

	ㅜ	ㅂ	ㄷ	ㄹ	ㄲ	ㅠ
두 변의 길이가 4, 7로 주어진 직각삼각형에 대해 나머지 한 변의 길이로 가능한 것을 모두 고르고 두 수 사이에 있는 수를 고르면?	$\sqrt{33}$	$\sqrt{19}$	$\sqrt{75}$	$\sqrt{65}$	6	10

노래의 제목은?	(힌트)324516

<Memo>

① $0 < x < 2$일 때, $\sqrt{(2-x)^2}$, $\sqrt{(2x-4)^2}$의 값을 모두 고르면?

② $0 < a < 3$일 때, $\sqrt{(6-2a)^2} + \sqrt{(a-3)^2}$, $\sqrt{\dfrac{1}{4}(a-3)^2} - \sqrt{(2a-6)^2}$의 값을

모두 고르면?

③ $\sqrt{(3-\sqrt{11})^2} + \sqrt{(4-\sqrt{11})^2}$, $\sqrt{(3-\sqrt{10})^2} + \sqrt{(-5+\sqrt{10})^2}$의 값을 모두 고르면?

④ x가 자연수일 때 $\sqrt{x}$ 이하의 자연수의 개수를 $f(x)$라 하자. 예를 들어 $1 < \sqrt{2} < 2$이므로 $f(2) = 1$이다. 이때 $f(48)$, $f(78)$, $f(123)$의 값을 모두 고르면?

⑤ 두 수 $\sqrt{20x}$와 $\sqrt{\dfrac{180}{x}}$가 모두 자연수가 되게 하는 자연수 x의 값으로 옳지 <u>않은</u> 것을 모두 고르면?

⑥ $\square ABCD$와 $\square EFGH$가 정사각형이고 $\overline{AD} = \overline{AP}$, $\overline{EH} = \overline{EQ}$일 때, 두 점 P, Q에 대응하는 수를 각각 고르면?

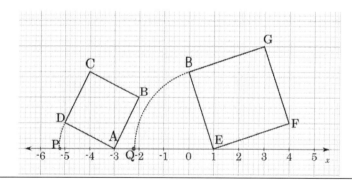

⑦ 다섯 개의 수 -1, $\sqrt{5} - \sqrt{3}$, $3 - \sqrt{10}$, 2, $-1 + \sqrt{5}$를 크기 순으로 나열할 때, 가장 작은 수와 가장 큰 수를 모두 고르면?

							조합글자
①	ㄷ	ㅜ	ㄱ	ㅓ	ㄹ	ㅊ	
	$2-x$	$x-2$	$3x-6$	$4-2x$	$2x-4$	$6-3x$	
②	ㅂ	ㅠ	ㅇ	ㄱ	ㅗ	ㅋ	
	$3-a$	$a-3$	$\dfrac{3a}{2}-\dfrac{9}{2}$	$3a-9$	$9-3a$	$\dfrac{7}{4}a-\dfrac{21}{4}$	
③	ㅜ	ㅇ	ㄹ	ㅏ			
	1	2	$-7-2\sqrt{11}$	$8-2\sqrt{10}$			
④	ㅇ	ㅅ	ㄴ	ㅜ	ㅠ	ㅣ	
	6	7	8	9	10	11	
⑤	ㅜ	ㅂ	ㄷ	ㄹ	ㅓ	ㅠ	
	5	25	20	45	60	180	
⑥	ㅡ	ㅋ	ㄹ	ㄱ	ㅔ		
	$-3+\sqrt{8}$	$-3-\sqrt{8}$	$-3-\sqrt{5}$	$-1+\sqrt{10}$	$1-\sqrt{10}$		
⑦	ㅂ	ㅇ	ㅔ	ㅗ	ㄹ		
	-1	$\sqrt{5}-\sqrt{3}$	$3-\sqrt{10}$	2	$-1+\sqrt{5}$		
노래의 제목은?	(힌트)2516473						

71. 제곱근의 곱셈과 나눗셈

다음 중, 옳은 것을 모두 고르면? (단, a,b는 자연수)	ㅣ	ㄱ	ㅇ	ㅓ			조합글자
	$\sqrt{a^2}=|a|$	$\sqrt{(-a)^2}=-a$	$\sqrt{a^2b}=a\sqrt{b}$	$a<b$이면 $\sqrt{a}>\sqrt{b}$			
다음 중, 같은 수끼리 짝지은 것을 모두 고르면?	ㅅ	ㅠ	ㅇ	ㅑ	ㅡ	ㅋ	
	$\sqrt{48}$	$\sqrt{12}$	$\sqrt{18}$	$2\sqrt{5}$	$4\sqrt{3}$	$4\sqrt{2}$	
$\dfrac{\sqrt{28}}{\sqrt{12}}\times\dfrac{\sqrt{7}}{2}\div\sqrt{3}$ 의 값과 그 역수를 모두 고르면?	ㅡ	ㄷ	ㅠ	ㅂ	ㄹ	ㅏ	
	$\dfrac{6}{7}$	$\dfrac{1}{2}$	2	$\dfrac{7}{6}$	$\dfrac{\sqrt{21}}{4}$	$\dfrac{4}{\sqrt{21}}$	
$\sqrt{1800}=a\sqrt{2}$, $\sqrt{0.008}=b\sqrt{5}$ 일 때, a,b의 값을 모두 고르면?	ㅂ	ㅅ	ㅎ	ㅡ	ㅕ	ㅜ	
	$\dfrac{1}{25}$	$\dfrac{1}{5}$	5	30	300	625	
서로 다른 두 개의 주사위를 동시에 던져서 나온 눈의 수를 각각 a,b라 할 때, $\sqrt{108ab}$ 가 자연수가 되는 (a,b)의 순서쌍의 개수와 그 때의 상황을 고르면?	ㅜ	ㄹ	ㄷ	ㅣ	ㄴ	ㅠ	
	3개	6개	9개	$(3,1)$	$(2,6)$	$(6,3)$	
세 모서리의 길이가 각각 $1,3,5$인 직육면체의 대각선의 길이를 구하고, 각 면의 대각선의 길이로 가능한 것을 고르면?	ㅡ	ㄱ	ㄹ	ㄷ	ㅓ	ㅐ	
	$\sqrt{41}$	$\sqrt{34}$	$\sqrt{26}$	$\sqrt{12}$	$\sqrt{35}$	$\sqrt{15}$	
$\sqrt{1\times2\times\cdots\times10}=a\sqrt{b}$ 라 할 때, a,b의 값으로 올바른 것을 모두 고르면?	ㅂ	ㅋ	ㅐ	ㅠ	ㅗ	ㄹ	
	3	5	7	80	144	720	
$\sqrt{1.23}\fallingdotseq1.109$, $\sqrt{12.3}\fallingdotseq3.507$일 때, $\sqrt{123}$, $\sqrt{0.0123}$, $\sqrt{1230}$ 의 값을 모두 고르면?	ㅗ	ㄹ	ㄷ	ㅠ	ㄹ	ㅡ	
	0.1109	11.09	110.9	0.3507	35.07	350.7	
가수와 노래의 제목은?	(힌트)37146285						

<Memo>

72. 근호가 있는 식의 계산

① 넓이가 각각 $12cm^2, 75cm^2, 27cm^2$인 세 정사각형이 서로 이웃하여 있다. 이 때 $\overline{AB}$ 와 $\overline{BC}$의 길이를 모두 고르면?

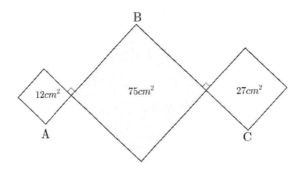

② $\dfrac{4}{\sqrt{3}}(2\sqrt{3}-3\sqrt{2})+\dfrac{5\sqrt{8}-3\sqrt{3}}{\sqrt{2}}=a+b\sqrt{6}$ 이라 할 때, 두 유리수 a,b의 값을 모두 고르면?

③ 가로, 세로, 높이가 각각 $\sqrt{6}, 2\sqrt{3}, \sqrt{6}+\sqrt{3}$인 직육면체의 겉넓이가 $a+b\sqrt{2}$이고 부피가 $c\sqrt{3}+d\sqrt{6}$이다. 이 때, a,b,c,d의 값으로 옳은 것을 모두 고르면?
(단, a,b,c,d는 모두 유리수)

④ 세 사각형 $OACB, ADFE, DGIH$는 모두 정사각형으로, 그 넓이가 차례대로 $S_1, S_2,$ S_3이고 $S_2=\dfrac{1}{3}S_1$, $S_3=\dfrac{1}{3}S_2$이다. $\overline{OA}=\overline{OB}=\sqrt{5}$일 때, $\overline{FH}$의 길이와 점 C, F, I의 좌표 를 바르게 구한 것을 각각 고르면?

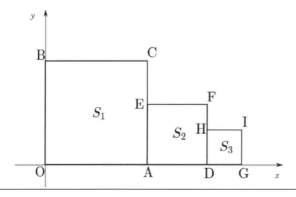

⑤ 세 실수 $a=\sqrt{32}-\sqrt{27}$, $b=\sqrt{50}-\sqrt{48}$, $c=1$에 대해 a,b,c의 대소 관계를 바르게 나타낸 것을 고르고, 가장 작은 수의 소수 부분을 고르면?

⑥ $3+\sqrt{7}$의 정수 부분을 a, $2-\sqrt{10}$의 소수 부분을 b라 하자. a와 b의 값을 구하고, $a-b$의 소수부분을 고르면?

⑦ $\sqrt{7}$의 소수 부분을 a, $2-\sqrt{17}$의 정수 부분을 b라 할 때, ab의 값을 구하고 $\sqrt{(a-1)^2}-\sqrt{(\sqrt{7}-b)^2}$ 의 값을 고르면?

	ㄷ	ㅐ	ㄹ	ㅓ	ㅜ	ㅇ	조합글자
①	$2\sqrt{3}$	$3\sqrt{3}$	$5\sqrt{3}$	$8\sqrt{2}$	$7\sqrt{3}$	$8\sqrt{3}$	

	ㅂ	ㅒ	ㅌ	ㄱ	ㅗ	ㅠ	조합글자
②	-2	18	$-\dfrac{11}{2}$	$-\dfrac{5}{2}$	2	-18	

	ㅜ	ㅗ	ㅋ	ㅇ	ㅠ	ㄱ	조합글자
③	$a=12$	$a=24$	$b=30$	$b=24$	$c=6$	$d=12$	

	ㅇ	ㄹ	ㅕ	조합글자
④	$\dfrac{\sqrt{15}-\sqrt{5}}{3}$	$\dfrac{\sqrt{15}}{3}$	$\dfrac{14\sqrt{5}}{3}$	
	ㅡ	ㅣ	ㄷ	
	$C(\sqrt{5},\sqrt{5})$	$F(\sqrt{5}+\dfrac{\sqrt{15}}{3},\dfrac{\sqrt{15}}{3})$	$I(\dfrac{5\sqrt{5}}{3},\dfrac{\sqrt{5}}{3})$	

	ㅜ	ㄹ	ㅅ	조합글자
⑤	$c>b>a$	$c>a>b$	$a>b>c$	
	ㅓ	ㅣ	ㄷ	
	$\sqrt{32}-\sqrt{27}$	$\sqrt{50}-\sqrt{48}$	0	

	ㅋ	ㅜ	ㅁ	ㄲ	ㅖ	조합글자
⑥	$\sqrt{7}-2$	$4-\sqrt{10}$	5	$\sqrt{10}-3$	-2	

	ㅂ	ㄷ	ㅇ	ㅖ	ㅗ	ㅛ	조합글자
⑦	6	0	$6-3\sqrt{7}$	$\sqrt{7}-2$	$3\sqrt{7}-6$	$-2\sqrt{7}$	

가수와 노래의 제목은?	(힌트)3721546

다음 중, 식의 전개가 옳은 것을 모두 고르면?	○		ㄷ			조합글자
	$(3x-1)^2=9x^2-3x+1$		$(x+5)(x-3)=x^2+2x-15$			
	—		ㅠ			
	$(-x+y)(-x-y)=x^2-y^2$		$(x+y)(2x-y)=2x^2-xy-y^2$			

다음 중, 전개한 식이 같은 것을 모두 고르면?	ㄱ	ㅗ		ㅠ		조합글자
	$(a+b)(a-b)$	$(-b+a)(b-a)$		$(b+a)(b-a)$		
	○	ㅏ		ㄴ		
	$(a+b)(b+a)$	$(-b+a)(b+a)$		$(-a+b)(-a-b)$		

다음 중, 전개한 식의 상수항이 같은 식을 모두 고르면?	○	ㅂ		ㄱ		조합글자
	$(2x+6)^2$	$(4x+3)(x-12)$		$(x-4)^2$		
	ㅅ	ㅐ		ㅠ		
	$(-x+2)(x-18)$	$(x+4)(x-9)$		$(x+6)(x-3)$		

다음 중, 식을 전개했을 때 모든 항의 계수의 합이 가장 큰 것과 작은 식을 각각 고르면?	ㅂ	ㄹ		ㅕ		조합글자
	$(a+2)^2$	$(x-5)^2$		$(a-1)(a-2)$		
	ㅐ	ㅍ		ㅛ		
	$(x+1)(x-4)$	$(-x+2)(x-6)$		$(2x+1)^2$		

$ax^2+24x+b$ $=(2x+c)^2$일 때, a,b,c의 값을 모두 고르면?	ㅜ	—	ㅃ	ㅏ	ㅅ	ㄹ
	1	2	4	6	24	36

$(ax-2)(5x+b)$ $=15x^2+cx-14$일 때, a,b,c의 값을 모두 고르면?	ㅜ	ㅏ	ㅋ	ㅁ	ㅅ	ㅐ
	2	3	6	7	11	15

세 정수 a,b,c에 대해 $(x+a)(x+b)$ $=x^2+cx+24$일 때, c로 가능한 값을 모두 고르면?	ㄹ	ㅂ	○	ㅗ	ㅔ	ㅛ
	-25	-10	6	12	14	22

| 가수와 노래의 제목은? | (힌트)4173526 | | | | | |

<Memo>

74. 다항식의 곱셈 공식 2

① 가로의 길이가 $2x$, 세로의 길이가 $4y$인 직사각형이 있다. 그림에 보이는 네 삼각형의 넓이를 나타낸 식이 올바른 것을 모두 고르면?

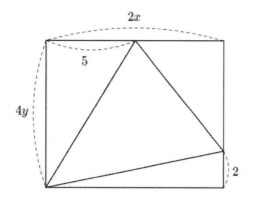

② 한 변의 길이가 a인 정사각형을 네 개의 직사각형으로 나눈 그림에서 색칠한 부분의 전체 넓이와 색칠하지 않은 부분의 전체 넓이를 나타낸 식을 각각 고르면?

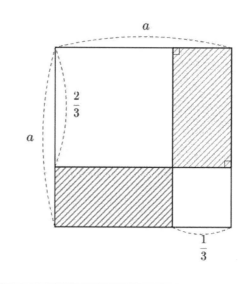

③ 1) $(x+1)(x+2)(x+3)(x+4)$를 올바르게 전개한 식을 구하여라.

2) $(x^2+x+1)(x^2-x+1)(x^4-x^2+1)$을 올바르게 전개한 식을 구하여라.

3) $A=2x+y$, $B=x-3y$일 때, A^2-B^2을 간단히 한 식을 구하여라.

④ 한 변의 길이가 각각 a, b인 두 정사각형에 대해 점 D는 $\overline{AC}$의 중점이다. $\overline{AD}, \overline{BD}$를 각각 한 변으로 하는 정사각형의 넓이를 모두 고르면? (단, $a > b$이다)

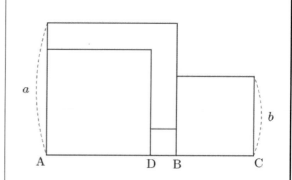

	ㅐ	ㅜ	ㅇ	조합글자
①	$4xy-5$	$20y$	$4x$	
	ㄱ	ㅂ	ㅠ	
	$4xy-2x-10y+5$	$10y$	$8xy$	

	ㅍ	ㅗ	ㅠ	
②	$a^2-a+\dfrac{4}{9}$	$a^2-\dfrac{1}{3}a$	$a^2-\dfrac{5}{3}a+\dfrac{2}{3}$	
	ㅂ	ㅐ	ㅔ	
	$a^2-2a+\dfrac{4}{3}$	$a-\dfrac{4}{9}$	a^2	

	ㅈ		ㅏ	
③	$3x^2+10xy-8y^2$		$3x^2-10xy+8y^2$	
	ㅓ		ㄱ	
	$x^4+10x^3+35x^2+50x+24$		$x^4+10x^3+25x^2+10x+24$	
	ㅜ		ㄴ	
	x^8-x^4+1		x^8+x^4+1	

	ㅜ	ㅎ	ㅁ	
④	$\dfrac{1}{4}a^2+\dfrac{1}{2}ab+\dfrac{1}{4}b^2$	ab	$\dfrac{1}{4}a^2-\dfrac{1}{2}ab+\dfrac{1}{4}b^2$	
	ㅡ	ㅠ	ㅈ	
	a^2-b^2	a^2+ab+b^2	$a^2-\dfrac{1}{2}ab+b^2$	

노래의 제목은?	(힌트)1342

조합글자

75. 곱셈 공식의 활용

① $(\sqrt{12}-\sqrt{13})^{10}=a$라 할 때, $(\sqrt{12}+\sqrt{13})^{10}$의 값을 a를 이용하여 표현한 식을 구하고, $\dfrac{\sqrt{a}}{a}$의 값을 고르면?

② $x^2-3x+1=0$일 때, $x+\dfrac{1}{x}$의 값과, $x^2+\dfrac{1}{x^2}$의 값을 모두 고르면?

③ $x=\dfrac{1}{3-2\sqrt{2}}$일 때, $(x^2-6x)^{15}$의 값과 $(6x-x^2)^{10}$의 값을 모두 고르면?

④ 식 $\dfrac{1}{\sqrt{x}+\sqrt{x+1}}+\dfrac{1}{\sqrt{x+1}+\sqrt{x+2}}+\cdots+\dfrac{1}{\sqrt{x+9}+\sqrt{x+10}}$을 간단히 한 식을 구하고, $x=15$일 때 위 식의 값을 고르면?

⑤ $x=\sqrt{2}+\dfrac{1}{\sqrt{2}}$, $y=\sqrt{2}-\dfrac{1}{\sqrt{2}}$일 때, x^2+y^2의 값과 $\dfrac{x^3+y^3}{xy}$의 값을 모두 고르면?

⑥ $7-3\sqrt{3}$의 정수 부분을 a, 소수 부분을 b라 하자. a와 b의 값과 $\dfrac{a}{b}$의 값을 모두 고르면??

				조합글자
①	ㅣ	ㅜ	ㄹ	
	$\dfrac{1}{a}$	a^2	$\sqrt{a}$	
	ㅕ	ㅇ	ㅂ	
	$(\sqrt{12}+\sqrt{13})^{20}$	$(\sqrt{12}+\sqrt{13})^{5}$	$(\sqrt{12}+\sqrt{13})^{15}$	

							조합글자
②	ㅍ	ㄹ	ㅗ	ㅣ	ㅇ	ㅠ	
	-5	-2	1	3	7	10	

							조합글자
③	ㅈ	ㄷ	ㅍ	ㅡ	ㅓ	ㅑ	
	-2^{15}	-2^{10}	-1	1	2^{10}	2^{15}	

				조합글자
④	ㅜ	ㅏ	ㅓ	
	$\sqrt{15}-30$	$5-\sqrt{15}$	$2\sqrt{15}$	
	ㄹ	ㄷ	ㄱ	
	$\sqrt{x+10}-\sqrt{x}$	$2\sqrt{x}$	$\sqrt{x}-2x$	

							조합글자
⑤	ㅔ	ㅊ	ㄹ	ㅈ	ㅡ	ㅜ	
	$\sqrt{2}$	2	3	5	$\dfrac{14\sqrt{2}}{3}$	$7\sqrt{2}$	

							조합글자
⑥	ㅋ	ㄷ	ㄹ	ㅏ	ㅜ	ㅣ	
	1	3	$6-\sqrt{27}$	$4-\sqrt{27}$	$\dfrac{2+\sqrt{3}}{3}$	$-\dfrac{4+3\sqrt{3}}{11}$	

노래의 제목은?	(힌트)423156

76. 다항식의 인수분해 1

다음 중, 유리수 범위에서 인수분해를 하지 <u>못하는</u> 것을 모두 고르면?	ㅣ	ㄷ	ㄹ	조합글자
	x^2-x-2	x^2-2	$16a^2-49$	
	ㅡ	ㅇ	ㅂ	
	$25-\dfrac{1}{10}a^2$	$100-\dfrac{1}{16}t^2$	$x^2+\dfrac{5}{3}x-\dfrac{2}{3}$	

다음 중, 완전제곱식을 모두 고르면?	ㅣ	ㅇ	ㅠ	
	x^2-y^2	$a^2-10a+25$	$\dfrac{1}{4}x^2+x+1$	
	ㄴ	ㅍ	ㅜ	
	$9x^2+25xy+16y^2$	$\dfrac{1}{9}a^2+2a+3$	$x^2-xy-2y^2$	

$x+3$이 두 다항식 x^2-2x+a와 x^2+bx+3의 공통인 인수일 때, 두 상수 a,b값을 모두 고르면?	ㅣ	ㄷ	ㅍ	ㅠ	ㅗ	ㅇ
	-15	-12	-6	1	3	4

$a<1$일 때, $\sqrt{4a^2-8a+4}$를 간단히 한 식을 모두 고르면?	ㅜ	ㄱ	ㄹ	
	$2|a-1|$	$2|1-a|$	$2-2a$	
	ㄷ	ㅏ	ㅍ	
	$4|a-1|$	$2a-2$	$4-4a$	

$x^2+ax-16$가 $(x+b)(x+c)$로 인수분해될 때, 상수 a의 최댓값과 최솟값을 모두 고르면?	ㅡ	ㅁ	ㄹ	ㅈ	ㅔ	ㅜ
	-17	-15	-6	6	15	17

| 노래의 제목은? | (힌트)53124 | | | | | |

<Memo>

① $f(x) = 1 - \dfrac{1}{x^2}$ 일 때, $f(x)$를 인수분해 한 식을 구하고,

$f(2) \times f(3) \times \cdots \times f(15)$의 값을 고르면?

② $(x+y-3)(x+y+5)-9$를 인수분해 한 식을 구하고, 두 인수의 합을 고르면?

③ $x+y=4$, $x^2 y + xy^2 + 2x + 2y = 28$일 때, $\dfrac{x^2 y - xy^2}{x^2 - y^2}$과 $x^2 + y^2$의 값을 모두 고르면?

④ $x^2 - y^2 + 2x + 4y + k$ 가 두 개의 일차식의 곱으로 인수분해된다고 할 때, 두 일차식을 각각 구하고, 정수 k의 값을 고르면?

⑤ $x^2 + 5x - 3 = 0$을 무엇이라 하는지 보기에서 찾고 $x^2 + 5x - 3 = 0$일 때,

$\dfrac{x^3 + 5x^2 + 12}{x+4}$의 값과 $x^2 + \dfrac{9}{x^2}$의 값을 고르면?

⑥ 1) $x = 3 - 2\sqrt{3}$, $y = \sqrt{3} - 3$일 때, $\dfrac{x^2 + 3xy + 2y^2 + 2x + 4y}{x+y+2}$의 값을 구하여라.

2) $a+b = \sqrt{5}$, $b+c = \sqrt{8}$, $c+a = \sqrt{10}$일 때, $a^2 + b^2 + c^2 + ab + bc + ca$의 값을 구하여라.

3) $3mn - 2m - 3n + 2 = 4$를 만족하는 자연수 m, n의 순서쌍의 개수를 모두 구하여라.

	ㅣ	ㅜ	ㅐ	조합글자
①	$\dfrac{2}{15}$	$\dfrac{7}{15}$	$\dfrac{8}{15}$	
	ㄹ	ㅇ	ㅂ	
	$\left(1+\dfrac{1}{x}\right)\left(1-\dfrac{1}{x}\right)$	$\left(1+\dfrac{1}{x}\right)^2$	$\left(1-\dfrac{1}{x}\right)^2$	

	ㄷ		ㅇ		
②	$(x-y-4)(x-y+6)$		$(x+y-4)(x+y+6)$		
	ㄹ		ㅎ		
	$(x+y-4)(x-y+6)$		$(x+y+4)(x-y-6)$		
	ㅜ	ㅏ	ㅡ	ㅐ	
	$2x-2y-2$	$2x+2y+2$	$2x+2$	$2x-2$	

	ㅈ	ㅇ	ㅡ	ㅊ	ㅛ	ㅑ
③	1	$\dfrac{5}{4}$	$\dfrac{3}{2}$	3	6	8

	ㅏ	ㄹ	ㄴ	ㅓ		
④	$x-y+3$	$x+y+1$	$x+y-1$	$x+y-3$		
	ㅍ	ㅇ	ㅠ	ㄷ	ㅈ	ㅔ
	-9	-3	-1	1	3	9

	ㅔ	ㄲ	ㄹ	ㄷ	ㅗ	ㅡ	ㄱ
⑤	이차 부등식	이차 방정식	이차식	2	3	19	31

	ㅈ	ㄷ	ㄹ	ㅏ	ㅜ	ㅣ
⑥	-3	$-\dfrac{5}{2}$	2개	3개	$\dfrac{23}{2}$	23

노래의 제목은?	(힌트)542613

다음 중, 이차방정식인 것을 모두 고르면?	ㅓ		ㅜ		ㄹ		조합글자
	$x^2+2=0$		$x-7>0$		$x^2-1<0$		
	ㅍ		ㅇ		ㅈ		
	$x^2-5x=x^2+3$		$x^2+5x=2x^2-1$		$x^2-3x+2=0$		
이차방정식 $x^2-5x+6=0$의 해를 모두 고르면?	ㅡ	ㄱ	ㅊ	ㅏ	ㅇ	ㄹ	
	-6	-3	-2	2	3	6	
이차방정식 $2x^2-x-3=0$의 해를 모두 고르면?	ㅏ	ㅐ	ㅗ	ㅊ	ㅎ	ㅇ	
	-3	$-\dfrac{3}{2}$	-1	$\dfrac{2}{3}$	1	$\dfrac{3}{2}$	
다음 중, 이차방정식의 두 해가 모두 정수인 것을 고르면?	ㅁ		ㄴ		ㅏ		
	$x^2=9$		$x^2+1=0$		$x^2-7x+10=0$		
	ㄹ		ㄷ		ㅐ		
	$x^2-4x+4=0$		$3x^2+5x+6=0$		$(x+1)(2x-1)=0$		
이차방정식 $ax^2+bx+c=0$이 중근을 가질 때의 조건과 중근을 갖는 이차방정식을 각각 고르면?	ㅡ		ㅜ		ㅑ		
	$b^2-4ac=0$		$b^2-4ac>0$		$b^2-4ac<0$		
	ㅁ		ㄱ		ㄴ		
	$x^2-4=0$		$x^2-6x+9=0$		$x^2-4x+5=0$		
이차방정식 $x^2-3x+1=0$의 한 근이 a일 때, $a+\dfrac{1}{a}$와 $a^2+\dfrac{1}{a^2}$의 값을 모두 고르면?	ㄱ	ㄷ	ㅎ	ㅐ	ㅜ	ㅣ	
	1	3	5	7	9	11	
(x)가 자연수 x의 양의 약수의 개수를 나타낼 때 $(x)^2-(x)-2=0$을 만족시키는 자연수를 고르면?	ㄹ	ㄱ	ㅓ	ㅍ	ㅑ	ㄱ	
	8	11	13	16	18	19	
노래의 제목은?	(힌트)7142356						

<Memo>

이차방정식 $mx^2-5x=x^2+7x-9$가 중근 $x=n$을 갖도록 하는 m, n의 값을 모두 고르면?	ㅐ	ㅈ	ㅅ	ㅜ	ㅣ	ㅇ	조합글자
	1	$\dfrac{3}{2}$	3	$\dfrac{7}{2}$	5	6	

방정식 $x^2-3\lvert x-1\rvert-7=0$의 해를 모두 고르면?	ㅅ	ㄹ	ㅇ	ㅣ	ㅗ	ㅐ
	-5	-3	-1	0	2	4

이차방정식 $2x^2-16x+5=0$을 $(x+a)^2=b$의 꼴로 고칠 때, a, b의 값을 모두 고르면? (단, a,b는 상수)	ㅈ	ㅋ	ㅂ	ㅣ	ㅑ	ㅗ
	$-\dfrac{23}{2}$	-4	5	$\dfrac{11}{2}$	$\dfrac{21}{2}$	$\dfrac{27}{2}$

방정식 $(x^2+3x)^2-2(x^2+3x)=8$ 의 해를 모두 고르면?	ㅜ	ㅣ	ㅁ	ㅇ
	-5	-4	-3	-2
	ㅃ	ㅡ	ㅠ	ㅈ
	1	2	4	6

가수와 노래의 제목은?	(힌트)1324

\<Memo>

80. 이차방정식3

이차방정식 $3x^2 - 6x - p = 0$이 $(x-1)^2 = q$와 같을 때, p, q의 관계식을 구하고 이 관계식을 만족하는 순서쌍 (p,q)를 고르면?	ㅏ	ㅜ	ㅗ	조합글자
	$p = 3q - 3$	$p = 3q + 3$	$3p = q - 3$	
	ㅇ	ㄴ	ㅂ	
	$(6,3)$	$(6,1)$	$(6,21)$	

이차방정식 $\frac{1}{2}x = \frac{1}{4}x^2 - 1$의 근이 $x = p \pm \sqrt{q}$일 때, 유리수 p, q의 값을 각각 고르면?	ㅣ	ㅠ	ㅍ	ㅏ	ㅅ	ㄹ
	1	2	3	4	5	6

이차방정식 $x^2 - 3x - 10 = 0$의 두 근을 α, β라 할 때, 다음 중 옳은 것을 모두 고르면?	ㄹ	ㅊ	ㅣ	ㅇ
	$\alpha + \beta = 3$	$\alpha^2 + \beta^2 = 11$	$\alpha\beta = -10$	$\frac{1}{\alpha} + \frac{1}{\beta} = \frac{3}{10}$

이차방정식 $2x^2 + 8x + k - 7 = 0$이 중근을 가질 때, k와 $x^2 - (k+1)x = 17$의 두 근을 모두 고르면?	ㅈ	ㅌ	ㄷ	ㅜ
	-17	-3	-1	5
	ㅠ	ㅍ	ㅡ	ㄹ
	6	12	15	17

이차방정식의 두 해가 $x = 1, \frac{2}{3}$인 이차방정식을 모두 고르면?	ㅡ	ㅅ	ㅑ
	$(x+1)(3x-2) = 0$	$(x-1)(3x-2) = 0$	$3x^2 - 5x + 2 = 0$
	ㅁ	ㄱ	ㅇ
	$(x-1)(2x-3) = 0$	$2x^2 - 5x + 3 = 0$	$x^2 - \frac{5}{3}x + \frac{2}{3} = 0$

$\sqrt{15}$의 소수부분이 $x^2 + ax + b = 0$의 한 근일 때, 다른 한 근과 ab의 값을 모두 고르면? (단, a, b는 유리수)	ㅇ	ㄱ	ㅣ	ㅊ	ㅔ
	$-\sqrt{15} - 3$	$\sqrt{15} + 3$	$\sqrt{15} - 3$	36	-36

가수와 노래의 제목은?	(힌트)215436

<Memo>

81. 이차방정식의 활용

① 원가가 30000원인 하나의 물건에 $x\%$의 이익을 붙여 정가를 정했더니 팔리지 않아서, 정가의 $x\%$를 할인하여 팔았더니 결과적으로 1200원의 손해를 보았다. x의 값을 구하고, 이 때의 정가를 고르면?

② 이차방정식 $x^2 + ax - \left(a + \dfrac{1}{4}\right) = 0$이 중근을 가질 때, 상수 a에 관한 식을 구하고, $a + \dfrac{1}{a}$, $a^2 + \dfrac{1}{a^2}$의 값을 모두 고르면?

③ 이차방정식 $x^2 - 4(m+1)x + 12m = 0$의 두 근의 비가 $1:3$일 때, 상수 m의 값을 구하고 두 근을 모두 고르면?

④ $1 + \sqrt{3}$의 정수 부분을 a, 소수 부분을 b라 할 때, b는 이차방정식 $ax^2 + mx + n = 0$의 한 근이라 한다. 이 때 b의 값과 유리수 m, n의 값을 고르면?

⑤ 이차방정식 $2x^2 - 6x + k = 0$의 두 근의 차가 5일 때, 상수 k의 값을 구하고 그 때의 두 근을 모두 구하여라. 또한, 두 근의 합을 고르면?

⑥ 1) 20%의 소금물 $100g$이 들어있는 그릇에서 xg의 소금물을 퍼낸 다음 xg의 물을 넣었다. 이 그릇에서 다시 xg의 소금물을 퍼낸 다음 xg의 물을 넣었더니 5%의 소금물이 되었다. x의 값을 구하여라.

2) 10%의 소금물 $100g$이 들어있는 비커에서 소금물 xg을 퍼내고 $(x+20)g$의 물을 넣은 다음 골고루 잘 섞은 후 다시 $(x+20)g$ 만큼을 퍼내고 xg의 물을 넣었더니 3%의 소금물이 되었다. 이 때, 처음 퍼낸 소금물의 양을 구하여라.

⑦ 하나의 주사위를 두 번 던져 첫 번 째 나온 눈의 수를 a, 두 번째 나온 눈의 수를 b라고 할 때, 이차방정식 $x^2 + ax + b = 0$이 중근을 가질 확률을 구하고, 그 때의 상황을 순서쌍 (a, b)로 올바르게 나타낸 것을 모두 고르면?

①	ㄷ	ㄱ	ㄹ	ㅓ	ㅗ	ㅐ	조합글자
	15	20	30	34500	36000	39000	

②	ㄱ		ㅇ		ㅠ		
	$4a^2+4a+1=0$		$a^2+4a+1=0$		-3		
	ㅜ		ㅡ		ㄹ		
	-4		11		14		

③	ㅅ	ㅣ	ㅠ	ㄹ	ㅇ	ㄱ	
	1	2	3	4	6	12	

④	ㅇ		ㄱ		ㄹ		ㅕ	
	$1-\sqrt{3}$		$\sqrt{3}-1$		$-\sqrt{3}-1$		-6	
	ㅜ		ㅖ		ㅣ		ㄱ	
	-4		1		2		4	

⑤	ㅜ	ㅇ	ㅅ	ㅗ	ㅏ	ㅇ	
	-10	-8	-3	-1	3	4	

⑥	ㅜ	ㄷ	ㅋ	ㄱ	ㅡ	ㅕ	
	25	30	35	40	45	50	

⑦	ㄹ	ㄷ	ㅂ	ㅖ	ㅗ	ㅅ	
	$\dfrac{1}{18}$	$\dfrac{1}{12}$	$\dfrac{1}{6}$	$(2,1)$	$(3,3)$	$(4,4)$	

영화와 노래의 제목은?	(힌트)6254731

82. 이차함수의 그래프1

다음 중, 이차함수인 것을 모두 고르면?	ㅇ	ㅐ	ㄹ	ㅏ	조합글자
	$y=x^2-1$	$y=\frac{1}{x^2}+3$	$y=2x-7$	$y=-x^2-3$	

다음 중, 아래로 볼록한 이차함수를 모두 고르면?	ㄱ	ㅇ	ㅅ	
	$y=-x^2$	$y=-3x^2-2$	$y=\frac{1}{3}(x+1)^2$	
	ㅜ	ㅡ	ㅣ	
	$y=-2x^2+3$	$y=-\frac{1}{7x^2}$	$y=(-2x)^2+1$	

다음 중, y축에 대칭인 이차함수를 모두 고르면?	ㅍ	ㄹ	ㅇ	
	$y=(x-1)^2$	$y=x^2-2x+1$	$y=x^2+1$	
	ㅜ	ㅡ	ㅓ	
	$y=4x^2-5$	$y=2(x+1)^2$	$y=\frac{1}{3}x^2-4$	

다음 중, x의 값이 증가하면 y의 값도 증가하는 함수를 모두 고르면?	ㅈ	ㄹ	ㅎ	
	$y=-2x+1$	$y=x^2$ (단, $x>0$)	$y=-x^2+6$ (단, $x>0$)	
	ㅓ	ㅠ	ㄱ	
	$y=x-7$	$y=x^2$ (단, $x<0$)	$y=\frac{1}{7}x^2$ (단, $x<0$)	

노래의 제목은?	(힌트)4213

<Memo>

83. 이차함수의 그래프2(이차함수의 최대/최소 22개정에서 추가)

	ㅇ	ㄹ	ㅏ	조합글자
이차함수 $y=-(x+2)^2$에 대한 설명으로 옳은 것을 모두 고르면?	아래로 볼록이다	꼭짓점은 $(2,0)$이다	y축 대칭이다	
	ㅅ	ㅎ	ㅡ	
	위로 볼록이다	꼭짓점은 $(-2,2)$이다	대칭축은 $x=-2$이다	

	ㄱ	ㅇ	ㄹ
$y=3x^2+6x+4$와 같은 이차함수를 찾고, 이차함수의 꼭짓점과 축의 방정식을 모두 고르면?	$y=3(x+1)^2+3$	$(-1,3)$	$x=-1$
	ㅁ	ㅜ	ㅣ
	$y=3(x+1)^2+1$	$(-1,1)$	$x=3$

	ㅕ		ㄹ		ㅇ	
다음 중, 축의 방정식이 $x=3$인 이차함수를 모두 고르면?	$y=3x^2$		$y=-(x-3)^2$		$y=\dfrac{1}{3}(x-1)^2$	
	ㅜ		ㅐ		ㅁ	
	$y=(x+3)^2$		$y=x^2-6x+1$		$y=-2x^2+12x-1$	

	ㅈ	ㅐ	ㅗ	ㄹ	ㅜ	ㅎ
이차함수 $y=2x^2$의 그래프는 점 $(1,a)$를 지나고 $y=bx^2$의 그래프와 x축에 대하여 대칭이다. a,b의 값을 고르면?	-8	-4	-2	2	4	8

	ㅁ		ㅎ		ㅗ	
$y=(x-4)^2+1$은 ___를 x축 방향으로 p만큼, y축 방향으로 q만큼 평행이동한 것이다. 밑줄에 들어갈 함수와 p,q의 값을 모두 고르면?	$y=x^2$		$y=4x^2$		$y=-4x^2$	
	ㄴ	ㅠ	ㅏ	ㅋ	ㅜ	ㅇ
	-4	-2	1	2	3	4

	ㅅ		ㅇ		ㄷ	
이차함수 $y=3(x-1)^2$을 y축으로 -2만큼 평행이동한 그래프를 구하고, 그 이차함수의 최댓값과 최솟값을 고르면?	$y=3x^2-6x+1$		$y=3x^2-3x+1$		$y=3x^2-2$	
	ㅓ	ㄴ	ㅜ	ㄹ	ㅐ	
	최댓값은 없다	최솟값은 -2이다	최솟값은 1이다	최댓값은 -2이다	최솟값은 없다	

가수와 노래의 제목은?	(힌트)345162

<Memo>

① 이차함수 $y=2x^2$의 그래프 위를 움직이는 점 P와 x축 위의 점 $A(-4,0)$, 그리고 원점 O를 연결하여 만든 삼각형의 넓이가 16일 때, 점 P의 좌표로 가능한 것을 모두 고르면?

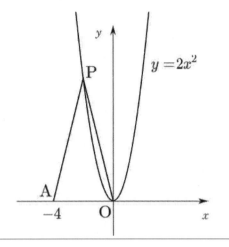

② 이차함수 $y=2(x-1)^2$의 그래프 위의 두 점 A, B에 대해 $\overline{AB}=4$일 때, 점 A, B의 좌표를 올바르게 구하면?

(단, $\overline{AB}$는 x축에 평행하고, 점 A는 제 2 사분면 위의 점이다)

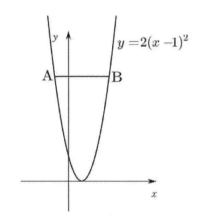

③ $\square ABCD$는 이차함수 $y=x^2$의 그래프 위의 두 점 A, C와 이차함수 $y=4x^2$의 그래프 위의 점 D, 그리고 제 1사분면 위의 한 점 B로 만들어진 정사각형이다.

$\square ABCD$의 넓이와 점 C의 좌표를 모두 고르면?

(단, $\square ABCD$의 각 변은 x축에 평행 또는 직교한다)

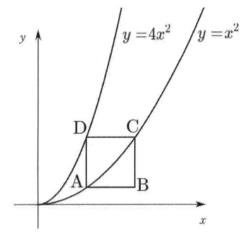

④ 두 이차함수 $y=2x^2+p$, $y=-x^2+q$의 그래프가 그림과 같을 때 $\square ABCD$의 넓이와 $\triangle AOD$의 넓이를 모두 고르면?

(단, p, q는 상수이고 점 A의 y좌표는 4이다.)

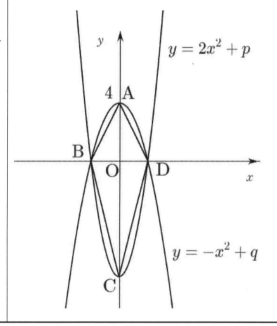

	ㅡ	ㄱ	ㅊ	ㅍ	ㄹ	ㅏ	조합글자
①	$(2,8)$	$(-2,8)$	$(-\sqrt{2},4)$	$(\sqrt{2},4)$	$(1,8)$	$(-1,4)$	
	ㄷ	ㄹ	ㄱ	ㅜ	ㅏ	ㅔ	
②	$(-3,8)$	$(-2,8)$	$(-1,8)$	$(1,8)$	$(2,8)$	$(3,8)$	
	ㅇ	ㅈ	ㄱ	ㅔ	ㅡ	ㅜ	
③	$\dfrac{1}{9}$	$\dfrac{1}{4}$	1	$\left(\dfrac{2}{3},\dfrac{4}{9}\right)$	$\left(\dfrac{3}{4},\dfrac{9}{16}\right)$	$(1,1)$	
	ㅐ	ㄹ	ㅋ	ㅜ	ㄷ	ㅣ	
④	4	6	8	16	24	48	
노래의 제목은?	(힌트)1432						

\<Memo\>

85. 이차함수의 그래프와 식 구하기

① 이차함수 $y = -x^2 + ax + b$의 그래프가 다음과 같을 때, 이차함수의 표준형을 구하고 꼭짓점의 좌표를 고르면?

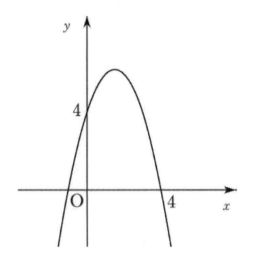

② 이차함수 $y = -x^2 + 4x + 12$를 표준형으로 바꾼 식을 구하고, 이 그래프에서 꼭짓점 A, 그래프와 y축의 교점 B, 그래프와 x축의 양의 부분의 교점 C로 이루어진 $\triangle ABC$의 넓이를 고르면?
(단, 점 O는 원점이다.)

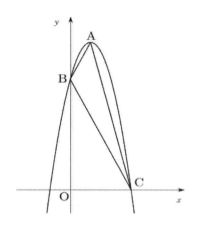

③ 이차함수 $y = ax^2 + bx + c$의 그래프가 원점을 지나고, 꼭짓점의 x좌표가 -1일 때, 옳은 것을 모두 고르면?

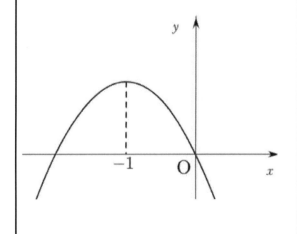

④ 두 이차함수 $f(x) = x^2 - 2x + 1$와 $g(x) = x^2 - 4x + 4$의 그래프는 평행이동에 의해 서로 겹쳐질 수 있다.

이를 이용하여 $\dfrac{f(3)f(4)f(5) \cdots f(50)}{g(3)g(4)g(5) \cdots g(50)}$의 값을 구하고, $\dfrac{f(3)f(4)f(5) \cdots f(k)}{g(3)g(4)g(5) \cdots g(k)} = 100$이 되기 위한 양수 k의 값을 고르면?

	ㅍ	ㄹ	ㄱ	조합글자
①	$y = \left(x - \dfrac{3}{2}\right)^2 + \dfrac{25}{4}$	$y = -\left(x - \dfrac{3}{2}\right)^2 + \dfrac{25}{4}$	$y = (x-3)^2 + 4$	
	ㅜ	ㅣ	ㅡ	
	$\left(-\dfrac{3}{2}, \dfrac{25}{4}\right)$	$\left(\dfrac{3}{2}, \dfrac{25}{4}\right)$	$(3, 4)$	

	ㅈ	ㄹ	ㄷ			
②	$y = -(x-2)^2 + 16$	$y = -(x-2)^2 + 8$	$y = -(x-4)^2 + 12$			
	ㅏ	ㅑ	ㅓ	ㅗ	ㅡ	ㅣ
	6	8	12	16	24	48

	ㅎ	ㄹ	ㅜ
③	$ab < 0$	$abc < 0$	$4a + 2b + c > 0$
	ㅁ	ㅓ	ㅗ
	$4a - 2b + c = 0$	$\dfrac{1}{4}a + \dfrac{1}{2}b + c > 0$	$\dfrac{1}{4}a - \dfrac{1}{2}b + c > 0$

	ㅐ	ㅔ	ㄹ	ㅜ	ㄷ	ㅁ
④	9	11	1521	1901	2201	2401

노래의 제목은?	(힌트)4312

86. 삼각비 1

① 아래의 그림에서 $\sin A = \dfrac{15}{17}$ 이고, $\cos A = \dfrac{8}{17}$ 일 때, x, y의 값을 각각 구하고, 주어진 도형과 관련된 정리를 보기에서 고르면?

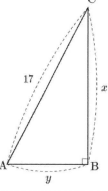

② 아래의 그림에서 $\angle BAC = 90°$ 이고 $\overline{AH} \perp \overline{BC}$이다.
$\angle HAC = x$라 할 때 $\sin x, \cos x, \tan x$의 값을 모두 고르면?

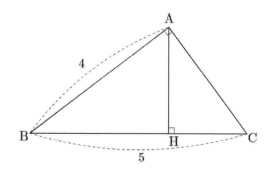

③ 반지름의 길이가 1인 사분원에 대해 보기 중 옳은 것을 모두 고르면?

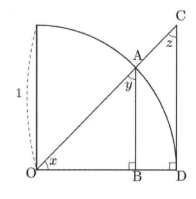

④ 그림과 같이 직선 $y = 2x + 3$이 x축과 만나서 이루는 각을 A라 할 때, $\dfrac{\cos A}{\sin A}$의값을 구하고 직선과 x축 및 y축으로 둘러싸인 삼각형의 넓이를 고르면?

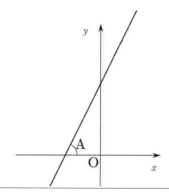

⑤ 그림과 같은 직육면체에서 $\overline{FG} = 1$이고 $\angle BGD = x$일 때, $\sin x, \cos x, \tan x$의 값을 모두 고르면?

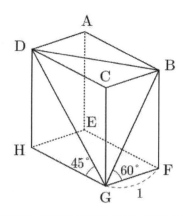

	ㅇ		ㄷ		ㄱ		조합글자
①	피타고라스 정리		△의 중점연결정리		각의 이등분선 정리		
	ㅜ	ㅋ	ㅣ	ㅔ	ㅈ	ㄹ	
	4	5	8	12	13	15	
②	ㅏ	ㅇ	ㄹ	ㄷ	ㅠ	ㅣ	
	$\dfrac{3}{5}$	$\dfrac{4}{5}$	$\dfrac{3}{4}$	$\dfrac{4}{3}$	$\dfrac{12}{13}$	$\dfrac{5}{12}$	
③	ㅎ		ㅌ		ㅔ		
	$\sin x = \overline{OB}$		$\tan y = \dfrac{1}{\overline{CD}}$		$\cos z = \overline{AB}$		
	ㅁ		ㅓ		ㅗ		
	$\sin y = \overline{AB}$		$\tan x = \overline{AB}$		$\cos y = \overline{OA}$		
④	ㅅ	ㅔ	ㅏ	ㅜ	ㄹ	ㅂ	
	$\dfrac{1}{2}$	2	$\dfrac{9}{4}$	3	$\dfrac{9}{2}$	9	
⑤	ㅋ	ㄹ	ㅏ	ㄷ	ㄱ	ㅜ	
	$\dfrac{\sqrt{6}}{4}$	$\dfrac{\sqrt{6}}{3}$	$\dfrac{\sqrt{10}}{4}$	$\dfrac{\sqrt{3}}{2}$	$\dfrac{\sqrt{15}}{3}$	$\dfrac{\sqrt{15}}{2}$	
노래의 제목은?	(힌트)53142						

87. 삼각비2

직선	ㅂ	ㄷ	ㅠ	조합글자
$y=\dfrac{1}{\sqrt{3}}x-1$이 x축과 이루는 예각의 크기를 A라 할 때, 옳은 것을 모두 고르면?	$\tan A=-1$이다	$\tan A=\dfrac{1}{\sqrt{3}}$이다	각 A는 $45°$이다	

	ㅜ	ㄱ	ㅒ	
	$\cos A=\dfrac{1}{2}$이다	$\sin A=\dfrac{\sqrt{3}}{2}$이다	$(\sin A)^2+(\cos A)^2$ 의 값은 1이다	

이차방정식 $x^2-\sqrt{3}\,x+\dfrac{3}{4}=0$의 중근이 $\sin A$일 때, $\cos A$, $\tan A$값을 모두 고르면? (단, $0°<A<90°$)	ㅏ	ㅇ	ㅕ	ㄷ	ㅎ	ㄴ	
	0	$\dfrac{1}{\sqrt{3}}$	$\dfrac{1}{2}$	$\dfrac{\sqrt{3}}{2}$	1	$\sqrt{3}$	

$\cos x=\dfrac{1}{2}$, $\tan y=\dfrac{1}{\sqrt{3}}$일 때 $\sin(x+y)$, $\tan(x-y)$ 의 값을 모두 고르면?	ㅗ	ㄷ	ㄹ	ㅡ	ㅅ	ㅔ	
	$\dfrac{1}{\sqrt{3}}$	$\dfrac{1}{2}$	$\dfrac{\sqrt{3}}{3}$	$\dfrac{\sqrt{3}}{2}$	1	$\sqrt{3}$	

$\sin x:\cos x=5:12$ 일 때, $\tan x$, $\cos(90-x)$ 의 값을 모두 고르면?	ㄹ	ㅅ	ㅣ	ㅂ	ㅜ	ㅠ	
	$\dfrac{5}{17}$	$\dfrac{5}{13}$	$\dfrac{5}{12}$	$\dfrac{12}{13}$	1	$\dfrac{12}{5}$	

$\angle C=90°$인 직각삼각형 ABC의 두 변 사이에 $\overline{AB}=3\overline{BC}$인 관계가 성립할 때, $\sin A$, $\tan A$의 값을 모두 고르면?	ㅈ	ㅣ	ㅏ	ㅎ	ㅇ	ㅜ	
	$\dfrac{1}{3}$	$\dfrac{\sqrt{2}}{4}$	$\dfrac{1}{2}$	$\dfrac{\sqrt{3}}{2}$	$\dfrac{2\sqrt{2}}{3}$	$2\sqrt{2}$	

가수와 노래의 제목은?	(힌트)32415			

<Memo>

① 아래의 그림을 참고하여 $\tan 22.5°$ 와 $\tan 67.5°$ 의 값을 모두 고르면?

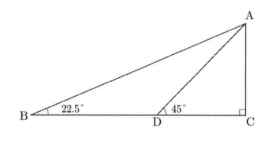

② 한 변의 길이가 2인 정사면체 $A-BCD$에서 $\overline{BC}$의 중점이 E이고 $\angle AED = x$일 때, $\sin x$, $\cos x$, $\tan x$의 값을 모두 고르면?

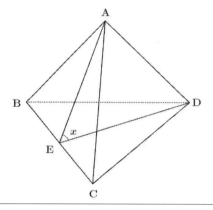

③ $\overline{BC} = 10cm$, $\angle B = 30°$, $\angle ACH = 45°$일 때, 다음 중 옳은 것을 모두 고르면?

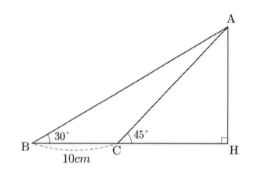

④ $\triangle ABC$에서 $\angle B = 45°$, $\angle C = 60°$이고 $\overline{BC} = 10cm$때, $\overline{AB}$ 및 $\overline{AC}$의 길이와 $\triangle ABC$의 넓이를 모두 고르면?

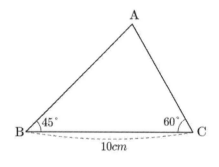

⑤ $\triangle ABC$에서 $\angle ACB = 120°$, $\overline{BC} = 6cm$, $\overline{AC} = 4cm$일 때, $\overline{AB}$의 길이와 $\triangle ABC$의 넓이를 모두 고르면?

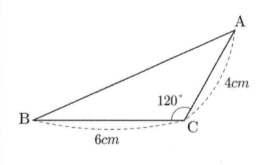

⑥ 그림의 등변사다리꼴 $ABCD$에 대해 점 A에서 내린 수선의 발을 H라 하자. $\overline{AB}$ 및 $\overline{AH}$의 길이와 등변사다리꼴의 넓이를 모두 고르면?

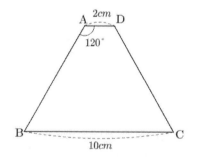

	ㅡ	ㅁ	ㅊ	ㅏ	ㄹ	ㅐ	조합글자
①	$\dfrac{1}{\sqrt{2}}$	$\sqrt{2}-1$	1	$\sqrt{2}+1$	$\sqrt{2}$	$2\sqrt{2}-1$	

	ㅓ	ㄹ	ㅈ	ㅜ	ㅏ	ㅇ	
②	$\dfrac{1}{3}$	$\dfrac{1}{2}$	$\dfrac{2\sqrt{2}}{3}$	1	$\sqrt{2}$	$2\sqrt{2}$	

	ㄹ	ㅡ	ㅜ
③ (단위: cm)	$\overline{AB}=10(\sqrt{3}+1)$	$\overline{AH}=5(\sqrt{2}+1)$	$\overline{AC}=5(\sqrt{3}+1)$
	ㅇ	ㅣ	ㄴ
	$\overline{BH}=15+5\sqrt{3}$	$\overline{AC}=5\sqrt{6}+5\sqrt{2}$	$\overline{CH}=5(\sqrt{5}-1)$

	ㅜ	ㄱ	ㅓ
④	$15-2\sqrt{6}\,cm$	$15\sqrt{2}-5\sqrt{6}\,cm$	$10(\sqrt{3}-1)cm$
	ㄷ	ㅁ	ㅡ
	$25(2-\sqrt{3})cm^2$	$25(3-\sqrt{3})cm^2$	$25(1+\sqrt{3})cm^2$

	ㄷ	ㄹ	ㅊ	ㅜ	ㅣ	ㅠ
⑤	$4\sqrt{2}\,cm$	$3\sqrt{5}\,cm$	$2\sqrt{19}\,cm$	$5\sqrt{2}\,cm^2$	$6\sqrt{3}\,cm^2$	$8\sqrt{2}\,cm^2$

	ㅈ	ㄹ	ㅣ	ㅇ	ㅑ	ㅒ
⑥	$4cm$	$4\sqrt{3}\,cm$	$8cm$	$24\sqrt{3}\,cm^2$	$36\sqrt{3}\,cm^2$	$48\sqrt{3}\,cm^2$

가수와 노래의 제목은?	(힌트)425136

① 다음 그림에서 x의 값을 구하고, $\cos A$의 값을 고르면?

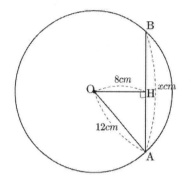

② 원 O에서 $\overline{AB}\perp\overline{OC}$이고 $\overline{AB}=8cm$, $\overline{CH}=3cm$일 때, $\overline{OH}$의 길이와 원 O의 둘레의 길이를 모두 고르면?

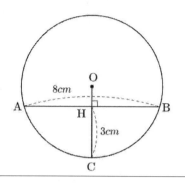

③ $\overline{AP}, \overline{AQ}$는 원 O의 두 접선이고 두 점 P, Q는 각각 두 접선의 접점이다. $\overline{AP}=9cm$, $\angle PAQ=60°$일 때, $\triangle APQ$의 넓이와 원의 반지름 $\overline{OQ}$의 길이를 모두 고르면?

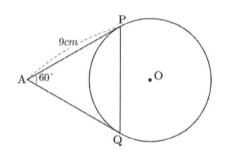

④ $\angle A=90°$인 직각삼각형 ABC의 내접원 O에 대해 $\overline{AC}$와의 접점을 D라고 하자. $\overline{AD}=1$, $\overline{CD}=4$일 때, $\overline{AB}$, $\overline{CB}$의 길이와 원의 넓이를 모두 고르면?

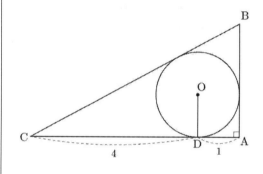

⑤ 원 O에 내접하는 $\triangle ABC$의 세 변은 원의 중심 O에서 같은 거리에 있다. $\overline{AH}=2cm$일 때, 삼각형 ABC의 둘레의 길이와 넓이를 모두 고르면?

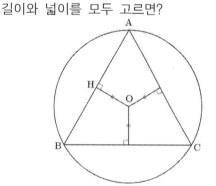

⑥ 원 O의 중심에서 $\overline{AB}$, $\overline{AC}$에 내린 수선의 발을 각각 M, N이라 하자. $\angle BAC=60°$이고 $\overline{OM}=\overline{ON}=2cm$일 때, $\triangle ABC$의 넓이와 $\overline{BM}$의 길이를 모두 고르면?

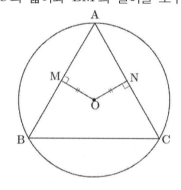

	ㄱ	ㅁ	ㅇ	ㅠ	ㅏ	ㅐ	조합글자
①	$4\sqrt{5}\,cm$	$6\sqrt{5}\,cm$	$8\sqrt{5}\,cm$	$\dfrac{\sqrt{5}}{3}$	$\dfrac{2}{3}$	$\dfrac{\sqrt{5}}{2}$	

	—	ㄹ	ㅈ	ㅜ	ㅅ	ㅐ	
②	$\dfrac{7}{6}cm$	$\dfrac{3}{2}cm$	$2cm$	$\dfrac{25\pi}{6}cm$	$\dfrac{25\pi}{3}cm$	$\dfrac{25\pi}{2}cm$	

	ㄹ	ㄱ	ㅌ	
③	$2\sqrt{3}\,cm$	$\sqrt{15}\,cm$	$3\sqrt{3}\,cm$	
	—	ㅏ	ㅑ	
	$\dfrac{63\sqrt{3}}{4}cm^2$	$\dfrac{81\sqrt{3}}{4}cm^2$	$\dfrac{64\sqrt{3}}{3}cm^2$	

	ㅜ	ㅂ	ㅇ	
④	$\dfrac{5}{3}$	$\dfrac{8}{3}$	$\dfrac{17}{3}$	
	ㅑ	ㅣ	—	
	6	π	$\dfrac{9}{4}\pi$	

	ㄷ	ㅓ	ㅊ	ㄹ	ㅣ	ㅠ	
⑤	$9cm$	$12cm$	$15cm$	$4\sqrt{3}\,cm^2$	$12cm^2$	$16cm^2$	

	ㅈ	ㅆ	ㄷ	
⑥	$2\sqrt{2}\,cm$	$2\sqrt{3}\,cm$	$3\sqrt{3}\,cm$	
	ㅣ	ㅜ	ㅗ	
	$12\sqrt{3}\,cm^2$	$18\sqrt{3}\,cm^2$	$24\sqrt{3}\,cm^2$	

가수와 노래의 제목은?	(힌트)623541

① 두 직선 AC, BD와 선분 CD는 원 O의 접선이고, 세 점 A, B, E는 접점이며, 선분 AB는 원 O의 지름이다.
$\overline{AC}=4$, $\overline{BD}=8$일 때, 다음 중 옳은 것을 모두 고르면?

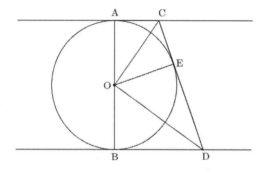

② 두 직선 PB, PB'은 서로 외접하는 두 원 O, O'의 공통인 접선이다.
$\overline{PA}=\overline{AB}=5$일 때, 원 O와 O'의 넓이를 각각 고르면?
(단, A, B, A', B'은 접접이다.)

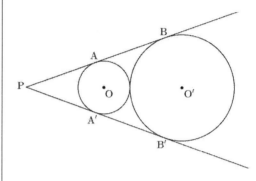

③ $\overline{BC}=10$, $\angle C=2x$이고 $\overline{CA}=6$인 삼각형 ABC의 내접원 O에 대해 $\overline{AB}$의 길이, $\triangle ABC$의 넓이 및 원 O의 반지름의 길이를 각각 고르면?
(단, $\tan x=0.5$, $\sin 2x=0.8$)

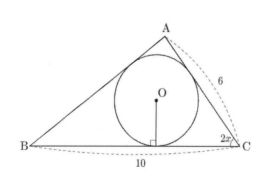

④ 중심이 O로 일치하는 두 동심원 모양으로 이루어진 트랙이 있다. 작은 원에 접하는 큰 원의 현 AB의 길이가 16m이고 두 원의 반지름의 길이의 차가 $4m$일 때, 색칠한 부분의 넓이와 작은 원의 반지름의 길이를 각각 고르면?

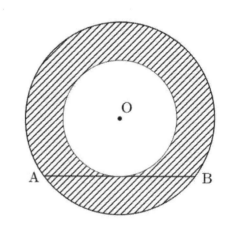

	ㅇ	ㅏ	ㅌ	조합글자
①	$\triangle CAO \equiv \triangle CEO$	$\overline{OB} = 3\sqrt{2}$	$\overline{OD} = 4\sqrt{5}$	
	ㄹ	ㅑ	ㅇ	
	$\triangle ACO = 16\sqrt{2}$	$\overline{CD} = 12$	$\square ABDC = 48\sqrt{2}$	

	ㄷ	ㅊ	ㅡ	ㅒ	ㅅ	ㅠ	
②	$\dfrac{25}{8}\pi$	$\dfrac{25}{4}\pi$	5π	$\dfrac{25}{2}\pi$	20π	25π	

	ㄹ	ㅎ	ㅗ	ㅡ	ㅏ	ㅌ	
③	$\dfrac{3}{2}$	2	8	16	24	30	

	ㄱ	ㅜ	ㅍ	ㅡ	ㅛ	ㅇ	
④	$6m$	$8m$	$10m$	$36\pi m^2$	$64\pi m^2$	$100\pi m^2$	

노래의 제목은?	(힌트)1324

<Memo>

① 다음 그림에서 x, y의 값을 고르면?

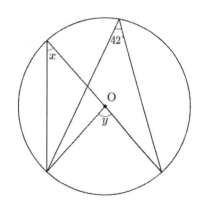

② $\overline{AB}$는 원 O의 지름이고 $\angle BAD = 42°$ 이다. $\overset{\frown}{BC} : \overset{\frown}{AD} = 3 : 8$일 때, $\angle ACD$와 $\angle CDB$, $\angle ADC$의 크기를 각각 고르면?

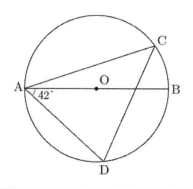

③ 직선 PA, PB가 원 O의 접선이고 $\angle P = 40°$일 때, $\angle ACB$, $\angle OAB$의 값과 $\angle AOB$의 값을 각각 고르면?

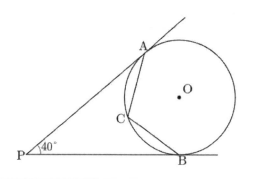

④ $\overline{AB}$는 원 O의 지름이고 $\overset{\frown}{AC} : \overset{\frown}{CB} = 5 : 4$, $\overset{\frown}{AD} = \overset{\frown}{DE} = \overset{\frown}{EB}$일 때 $\angle DCE$, $\angle APE$의 크기를 각각 고르면?

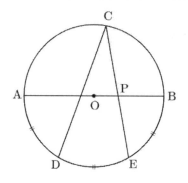

⑤ 그림의 원에서 $\overset{\frown}{AB} = \overset{\frown}{BC} = \overset{\frown}{CD}$이고 $\angle APD = 30°$이다. $\angle x$의 크기와 $\angle ABC$의 크기를 각각 고르면?

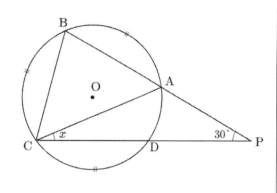

⑥ $\overline{AB}$는 원 O의 지름이고 $\angle COD = 50°$ 일 때 $\overset{\frown}{CD}$에 대한 원주각의 크기와 $\angle APB$의 크기를 각각 구하고, 부채꼴 OCD의 넓이가 5π일 때, 주어진 원의 반지름의 길이를 고르면?

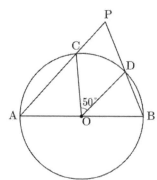

	ㅇ	ㅣ	ㅡ	ㅑ	ㅈ	ㅌ	조합글자
①	36°	42°	50°	63°	84°	96°	
	ㅏ	ㅊ	ㅐ	ㄹ	ㅔ	ㄷ	
②	18°	24°	36°	48°	60°	72°	
	ㅣ	ㅜ	ㅇ	ㅡ	ㄷ	ㅆ	
③	20°	30°	110°	120°	130°	140°	
	ㄸ	ㄱ	ㅏ	ㅗ	ㅡ	ㄹ	
④	20°	25°	30°	90°	95°	100°	
	ㅂ	ㅏ	ㄷ	ㅡ	ㅣ	ㄹ	
⑤	20°	22.5°	25°	70°	72.5°	75°	
	ㄷ	ㅈ	ㅡ	ㅏ	ㅎ	ㄹ	
⑥	6	12	20°	25°	60°	65°	
노래의 제목은?	(힌트)312465						

① 두 점 A, B는 점 P에서 원 O에 그은 두 접선의 접점이다. $\angle APB = 46°$일 때, $\angle OAB$의 크기와 $\angle PAB$의 크기를 모두 고르면?

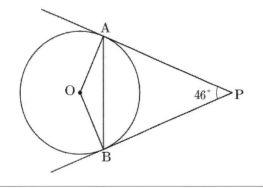

② 그림의 반원에서 O는 원의 중심이다. $\angle AOD = 80°$, $\overline{OD} /\!/ \overline{BC}$일 때, $\angle ODB$, $\angle BDC$의 값을 모두 고르면?

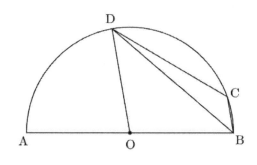

③ 직선 AT가 원 O의 접선이고 점 A는 접점일 때, $\angle x$의 값과 $\angle BCA$의 값을 모두 고르면?

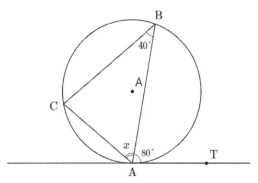

④ 직선 CT는 원 O의 접선이고 $\angle A = 101°$, $\angle CDB = 38°$일 때, $\angle x$와 $\angle BCD$의 값을 모두 고르면?

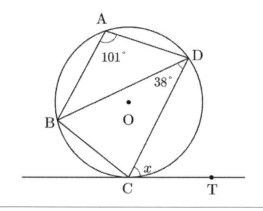

⑤ 원 O는 $\triangle ABC$의 내접원이면서 $\triangle DEF$의 외접원이다. 세 점 D, E, F는 원 O의 접점이고 $\angle A = 48°$, $\angle DEF = 50°$일 때, $\angle x$와 $\angle ACB$의 값을 모두 고르면?

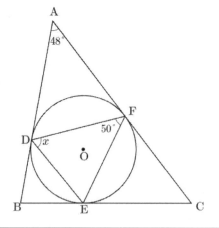

	ㅇ	ㄹ	ㅍ	ㅑ	ㅏ	ㅐ	조합글자
①	21°	23°	25°	65°	67°	69°	
	ㅡ	ㅊ	ㅏ	ㄹ	ㅔ	ㄷ	
②	10°	15°	20°	30°	35°	40°	
	ㅂ	ㅜ	ㄹ	ㅗ	ㅏ	ㅁ	
③	40°	50°	60°	70°	80°	90°	
	ㅔ	ㅁ	ㅈ	ㅌ	ㅜ	ㅏ	
④	60°	63°	66°	72°	75°	79°	
	ㅏ	ㅗ	ㅋ	ㅡ	ㅁ	ㅎ	
⑤	52°	56°	60°	62°	64°	66°	
노래의 제목은?	(힌트)23415						

① 네 점 A, B, C, D가 한 원 위에 있을 때, $\angle ADB, \angle DBC$의 크기를 모두 고르면?

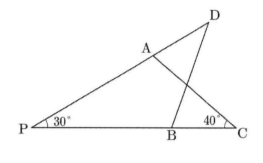

② 사각형 $ABCD$가 원에 내접하고 $\angle BPC = 40°$, $\angle AQB = 50°$이다. $\angle ABC, \angle BCD$의 크기를 모두 고르면?

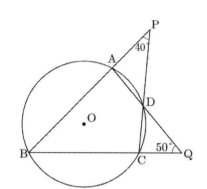

③ 점 H가 $\triangle ABC$의 각 꼭짓점에서 내린 수선의 교점이라 할 때, 다음 중 옳지 <u>않은</u> 것을 모두 고르면?

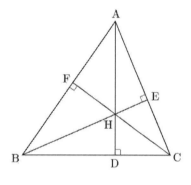

④ 사각형 $ABCD$에서 네 내각의 이등분선의 교점이 각각 E, F, G, H이다. $\angle CGD = 80°$일 때, 다음 중 옳은 것을 모두 고르면?

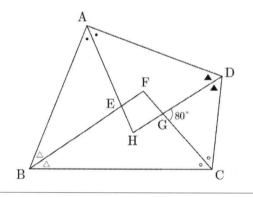

⑤ 두 원이 점 T에서 접할 때, T를 지나는 두 직선이 두 원과 만나는 점을 A, C 및 B, D라고 하자. 다음 중 옳지 <u>않은</u> 것을 모두 고르면?

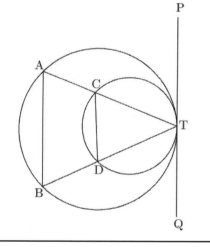

	ㅜ	ㅣ	ㅡ	ㄷ	ㅅ	ㅎ	조합글자
①	$30°$	$40°$	$50°$	$60°$	$70°$	$80°$	

	ㅁ	ㅍ	ㅏ	ㅈ	ㅔ	ㅣ	조합글자
②	$45°$	$55°$	$65°$	$75°$	$85°$	$95°$	

	ㅇ		ㅏ		ㄹ	
③	$\square AFHE$는 원에 내접한다		네 점 B,D,E,F는 한 원 위에 있다		$\angle BAD = \angle BCF$	
	ㄷ		ㄱ		ㅡ	
	네 점 A,F,D,C는 한 원 위에 있다		H는 삼각형의 내심이다		$\overline{BC}$는 $\triangle FBC$의 외접원의 지름이다	

	ㅅ	ㅁ	ㄹ
④	$\angle AEF = 80°$	네 점 A, B, C, D는 한 원 위에 있다	$\angle HDC = \angle EBC$
	ㅣ	ㅓ	ㄴ
	$\angle HAD = 50°$	네 점 F, E, H, G는 한 원 위에 있다	$\angle EAB + \angle EBA = 80°$

	ㄴ	ㅁ	ㅎ
⑤	$\angle ABT = \angle DCT$	$\overline{AB} /\!/ \overline{CD}$	$\angle BAT = \angle DCT$
	ㅡ	ㅏ	ㅑ
	$\angle ABT = \angle ATP$	$\angle ABT = 60°$	$\triangle ABT \backsim \triangle CDT$

노래의 제목은?	(힌트)42315

① 두 원은 점 P, Q에서 서로 만난다. 점 P를 지나는 직선이 두 원과 만나는 점은 각각 A, B이고 점 Q를 지나는 직선이 두 원과 만나는 점은 각각 C, D이다. $\angle DBP = 96°$일 때, $\angle x, \angle y$의 크기를 모두 고르면?

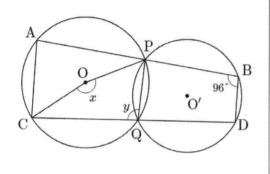

② 직선 AT는 원 O의 접선이고 $\triangle ABC$는 원 O에 내접한다. $\angle BAT = 55°$일 때, 다음 중 옳은 것을 모두 고르면?

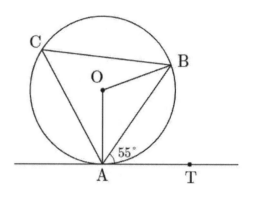

③ 직선 AT는 점 A를 접점으로 하는 원 O의 접선, 원의 반지름의 길이는 10, $\angle ABC = 30°$이다. 다음 중 옳은 것을 보기에서 모두 고르면?

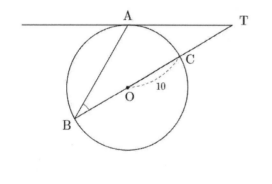

④ 선분 BC를 빗변으로 하는 직각삼각형 ABC와 선분 AB를 지름으로 하는 원 O가 있다. 원 O와 변 BC의 교점이 P이고, 점 P에서의 접선과 접선 AC의 교점이 Q이고 $\overline{BC} = 10$, $\overline{PQ} = 4$일 때, 다음 중 옳은 것을 보기에서 모두 고르면?

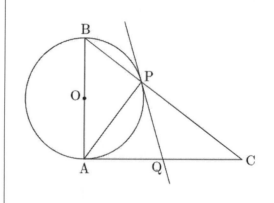

	ㅜ	ㅔ	ㅣ	ㄷ	ㅅ	ㅇ	조합글자
①	84°	92°	96°	164°	166°	168°	

	ㅣ		ㅅ		ㅏ		
②	$\angle AOB = 110°$		$\angle OAB = 35°$		$\angle OBC = 25$		
	ㄱ		ㄴ		ㅠ		
	$\angle ABC = 55°$		$\angle ACB = 55°$		$\angle OCA = 30°$		

	ㅁ		ㅈ		ㄴ		
③	$\angle BAT = 120°$		$\overline{CT} = 9$		$\overline{AB} = \overline{AT}$		
	ㅏ		ㄷ		ㅡ		
	$\overline{AC} = \overline{CT}$		$\overline{BC} = \overline{AT}$		$\overline{AC} = 8$		

	ㅇ		ㅁ		ㅌ		
④	$\overline{AP} = \dfrac{24}{5}$		$\overline{BP} = \dfrac{16}{5}$		$\overline{PC} = 6$		
	ㅣ		ㅏ		ㄷ		
	$\overline{AB} = 8$		$\overline{CQ} = 4$		$\overline{AO} = 3$		

노래의 제목은?	(힌트)4231

<Memo>

95. 통계 용어

각 문항별로 적절한 통계 용어를 고르시오.

① 1) 도수분포표에서 각 계급에 속하는 자료의 개수
   2) 도수의 총합에 대한 각 계급의 도수의 비율

② 1) 자료 전체의 특징을 대표적으로 나타내는 값
   2) 자료를 수량으로 나타낸 것
   3) 계급의 크기를 가로로 하고, 각 계급의 도수를 세로로 하여 직사각형으로 그린
      그래프

③ 1) 변량 중 가장 많이 나타나는 값
   2) 변량을 작은 값부터 크기순으로 나열할 때 중앙에 놓인 값

④ 1) 변량이 흩어져 있는 정도를 하나의 수로 나타낸 값
   2) 각 변량에서 평균을 뺀 값
   3) 히스토그램에서 각 직사각형의 윗변의 중앙에 점을 찍어 차례로 선분으로
      연결하여 그린 그래프

⑤ 1) 편차의 제곱의 평균
   2) 분산의 음의 아닌 제곱근

⑥ 1) 두 변량의 순서쌍을 좌표로 하는 점을 좌표평면 위에 나타낸 그래프
   2) 두 변량 x, y 사이에 x의 값이 증가함에 따라 y의 값이 증가하거나 감소하는
      경향이 있는 관계

	ㄴ	ㅣ	ㄷ	ㅅ	ㅂ	조합글자
①	상대도수	도수	계급값	변량	도수분포 다각형	

	ㅣ	ㄱ	ㄴ	ㅂ	ㅡ	
②	평균	대푯값	변량	도수분포표	히스토그램	

	ㅎ	ㅇ	ㅏ	ㅈ	ㄹ	
③	평균	중앙값	최빈값	분산	표준편차	

	ㄹ	ㄴ	ㅈ	ㅣ	ㅌ	
④	표준편차	산포도	편차	도수분포 다각형	대푯값	

	ㄹ	ㅉ	ㅠ	ㄷ	ㅏ	
⑤	이상치	분산	중앙값	평균	표준편차	

	ㄷ	ㄹ	ㅍ	ㅐ	ㅔ	
⑥	산점도	산포도	범위	줄기와 잎 그림	상관관계	

노래의 제목은?	(힌트)312645

96. 대푯값(중1 과정 복습[22개정 기준])

	ㄴ	ㅅ	ㅂ	조합글자
다음 중, 최빈값이 존재하는 경우를 모두 고르면?	7,7,7,7,7	1,1,2,2,3	1,2,3,4,5	
	ㅡ	ㄷ	ㅠ	
	빨간색,빨간색 노란색,하늘색	3,3,4,4,5,5	6,6,6,8,8,8	

7개의 자료 $6,a,-4,0,5,b,3$이 있다. 이 자료의 평균이 0이고 최빈값이 -4일 때, 수 a,b의 값을 모두 고르면?	ㅣ	ㅌ	ㄱ	ㄴ	ㅂ	ㅡ
	-6	-4	-2	-1	1	3

4개의 수가 있다. 이 중에서 세 수는 $20,24,34$이고, 4개의 수의 중앙값이 27일 때, 나머지 하나의 수를 구하고 그 때 최빈값을 고르면?	ㅎ	ㅡ	ㅇ	ㅏ	ㅈ	ㅅ
	20	26	28	30	31	없다

주어진 각각의 자료에 대해 평균, 중앙값, 최빈값이 모두 같은 경우를 고르면?	ㄹ		ㅣ	
	7,7,7,7,7		0,14,7,7,7	
	ㅈ		ㄴ	
	6,8,7,7,7		5,9,7,7,7	

다섯 개의 수 $12,15,20,22,a$의 중앙값이 20이고 네 개의 수 $a,28,42,43$의 중앙값이 35일 때, 가능한 a의 값을 모두 고르면?	ㄷ	ㄴ	ㅋ	ㅓ	ㅑ	ㅔ
	18	19	20	27	29	31

노래의 제목은?	(힌트)12534

<Memo>

97. 산포도

5개의 변량 $5, x, y, 10, 4$의 평균이 6이고 분산이 4.4일 때, x, y의 값을 모두 고르면?	ㄴ	ㅇ	ㅏ	ㅡ	ㅣ	ㄹ	조합글자
	1	2	3	4	5	6	

세 개의 변량 a, b, c의 평균이 7이고 표준편차가 3이다. 변량 $2a+5, 2b+5, 2c+5$의 평균과 분산을 모두 고르면?	ㅇ	ㅏ	ㅕ	ㄴ	ㅎ	ㅡ	
	14	19	21	30	36	45	

수학 시험을 치른 남학생 5명과 여학생 5명의 평균은 같고 분산은 각각 $9, 15$다. 학생 10명 전체의 수학 시험의 분산과 표준편차를 고르면?	ㄹ	ㅓ	ㅇ	ㅑ	ㄷ	ㅏ	
	8	$\sqrt{8}$	10	$\sqrt{10}$	12	$\sqrt{12}$	

네 수 a, b, c, d의 평균이 6이고, 네 수 a^2, b^2, c^2, d^2의 평균이 40일 때, 네 수 a, b, c, d의 분산과 표준편차를 모두 고르면?	ㅡ	ㄹ	ㅏ	ㅍ	ㄱ	
	2	$\sqrt{2}$	3	$\sqrt{3}$	4	

A, B 두 학급의 성적을 나타낸 그래프이다. 옳은 것을 고르면?

ㅇ	ㅔ
B반보다 A반의 평균이 더 높다	가장 높은 점수를 받은 학생은 A반에 있다

ㄹ	ㅜ
B학급이 A학급에 비해 개인차가 적다	A학급이 B학급에 비해 개인차가 적다

ㅓ	ㅌ
표준편차는 B학급이 A학급보다 더 크다	A학급의 인원수가 B학급보다 더 많다

노래의 제목은?	(힌트)41523

<Memo>

98. 대푯값과 산포도/산점도와 상관관계

① 아래의 자료에 대해 최빈값을 제외한 나머지 학생의 몸무게를 모두 구하고, 네 학생의 몸무게의 분산과 표준편차를 고르면?

(학생 4명의 몸무게를 조사하였더니 몸무게의 평균은 $54kg$, 중앙값은 $55kg$, 최빈값은 $57kg$이다.)

② 아래의 두 조건 (가),(나)를 만족하는 p, q의 값을 구하고, (가)와 (나)의 자료 중 범위(주어진 자료의 최댓값과 최솟값의 차)가 큰 자료를 고르면?

(가) $3, 7, 11, 23, q$의 중앙값은 11이다.
(나) $7, 18, p, q, 25$의 평균은 15이고 중앙값은 17이다.

③ 어느 반 학생의 수학과 영어 점수를 조사하여 나타낸 산점도이다. 다음 중 옳지 <u>않은</u> 것을 모두 고르면? (단, 전체 학생이 시험을 보았고, 중복된 학생은 없다)

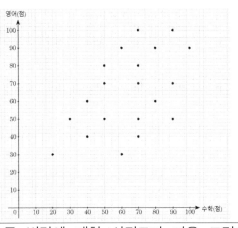

④ 두 변량 x, y에 대한 산점도를 그렸을 때, 대체로 다음 그림과 같은 모양이 되는 것을 모두 고르면?

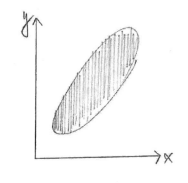

⑤ 두 변량에 대한 산점도가 다음 그림과 가장 유사하게 나타나는 것을 모두 고르면?

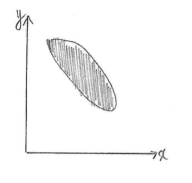

⑥ 감염자의 침방울에 의해 전염되는 것으로 알려진 A형 독감 및 코로나19와 관련하여, 다음 중 음의 상관관계를 나타낼 것으로 예상되는 것을 모두 고르면?

(단위: kg) ①	ㄴ	ㅜ	ㅅ	ㅑ	조합글자
	11	$\sqrt{11}$	44	$2\sqrt{11}$	
	ㅇ	ㄹ	ㅓ	ㅠ	
	49	51	53	55	

②	ㅜ	ㄹ	ㄱ	ㅇ	ㅓ	ㅣ
	8	10	15	17	(가)	(나)

③	―	ㅈ	ㅌ
	이 반의 전체 학생수는 20명이다	영어와 수학 점수가 같은 학생은 3명이다	대체로 영어 시험보다 수학 시험을 더 잘 봤다
	ㅜ	ㅣ	ㅂ
	수학 점수가 70점인 학생은 총 5명이다	영어와 수학 점수 둘 다 100점인 학생이 존재한다	영어와 수학 점수의 합이 11번째로 좋은 학생의 점수의 합은 130점이다

④	ㄹ	ㅈ	ㅓ
	키, 지능지수	가방의 무게, 성적	도시의 인구수, 교통량
	―	ㄴ	ㅣ
	산의 높이, 정상에서의 온도	하루 평균 기온, 에어컨 사용량	기차속도, 소요시간

⑤	ㄹ	ㅑ	ㅔ
	하루 동안 낮과 밤의 길이	물건의 크기와 가격	여름철 기온과 음료수 판매량
	ㅜ	ㅍ	ㅅ
	산의 높이와 정상에서의 온도	자동차의 무게와 연료 효율	상품에 대한 광고비와 매출

⑥	―	ㅂ	ㅣ
	마스크 판매량과 체온계 판매량	치료가 필요한 감염자 수와 병상 여유분	지역별 인구밀도와 누적 확진자 수
	ㅠ	ㄹ	ㄷ
	백신 투여자 수와 감염자 수	확진자 수와 업무 담당 공무원의 근무 시간	파악된 감염자의 접촉자 수와 감염 검사량

가수와 노래의 제목은?	(힌트)241635

아래에 주어진 20개의 자료를 참고하여 각 물음에 답하시오.
① 자료의 최솟값과 최댓값을 모두 고르면?

② 제1분위수, 제2분위수, 제3분위수를 모두 고르면?

③ 사분위수 범위의 영어 표현과 수식 기호를 모두 고르면?

④ 주어진 자료에서 사분위수 범위를 구하고, 안울타리$(Q1 - 1.5IQR, Q3 + 1.5IQR)$의
   경계값을 모두 고르면?

⑤ 인접값(안울타리 구간에서 경계값에 가장 가까운 값)을 모두 고르면?

⑥ 보통이상점과 극단이상점을 모두 고르면?

-25	-11	3	5	10
14	19	20	21	25
25	26	26	27	28
32	47	55	67	101

(숫자 출처: 네이버 수학백과)

	ㄴ	ㅡ	ㄹ	ㅜ	ㅅ	ㅑ	조합글자
①	25	−25	55	−3	101	105	

	ㅜ	ㄹ	ㄱ	ㅠ	ㄷ	ㅏ	
②	10	12	20	24	25	30	

	ㅡ	ㄹ	ㄷ	ㅜ	ㅔ	ㅌ	
③	$Q2-Q0$	$Q4-Q2$	IQR	$MODE$	$Q3-Q1$	$Q4-Q0$	

	ㄹ	ㅜ	ㅈ	ㅓ	
④	18	37	71	89	
	ㅣ	ㅇ	ㄴ	ㅡ	
	−15	57	−42	84	

	ㄹ	ㅣ	ㅍ	ㅇ	ㅏ	ㅔ	
⑤	−25	−11	−3	55	64	67	

	ㅡ	ㄹ	ㅅ	ㅓ	ㄱ	ㅣ	
⑥	−35	−25	−3	67	101	105	

가수와 노래의 제목은?	(힌트)613524

100. 상자그림2

아래의 상자그림에서 직사각형의 세 가로선이 의미하는 것을 모두 고르면?	ㄴ	ㅐ	ㅜ	ㅁ	ㄷ	조합글자
	제1분위수	제3분위수	평균	중앙값	최빈값	

상자그림은 자료의 다섯 숫자 요약을 그래프로 나타낸 것이다. 다음 중, 다섯 숫자가 <u>아닌</u> 것을 모두 고르면?	ㅜ	ㄱ	ㅠ	ㄹ	ㅇ	
	최빈값	최솟값	중앙값	평균	분산	

두 집단의 분포를 비교하고 해석하는 활동으로 적절한 통계자료를 모두 고르면?	ㅏ	ㅌ	ㅣ	ㅈ	ㄱ	
	히스토그램	도수분포다각형	상대도수	도수분포표	상자그림	

다음 자료를 보고 아래의 물음에 답하시오

(출처:www.brailleauthority.org)

Class A에 대한 설명으로 옳은 것을 모두 고르면?	ㄱ	ㅏ	
	IQR의 값은 9이다	평균은 77이다	
	ㄷ	ㅕ	
	최빈값은 77이다	범위는 15이다	

Class B에 대한 설명으로 옳은 것을 모두 고르면?	ㅏ	ㅗ	
	성적이 89점인 학생은 3명이다	중앙값은 80이다	
	ㅊ	ㄹ	
	학생수는 총 21명이다	자료가 중앙값을 기준으로 왼쪽에 촘촘히 분포되어 있다	

노래의 제목은?	(힌트)51342

<Memo>

<도전 수학 100곡 시즌1. 중학 수학 검수요원 명단>

(가나다 순)

김가연(이천 설봉중 3)

박동재(이천 설봉중 3)

박민지(이천 설봉중 3)

박정은(이천 설봉중 3)

양수아(이천 설봉중 2)

이샬럿(이천 설봉중 3)

이서현(이천 설봉중 3)

이은솔(이천 설봉중 3)

이하은(이천 설봉중 2)

최유진(이천 설봉중 3)

최윤성(이천 설봉중 3)

최훈기(이천 설봉중 3)